Übersichtskarte
Der Rhein
1 : 500 000

0   5   10   15 km

Liebe Leserin
und lieber Leser,

an den ›wunderschönen deutschen Rhein‹ führt Sie die Nummer 16 der Reihe HB-Bildatlas. Übrigens, die Engländer haben den Rhein-Tourismus erfunden: Um 1800 gehörte es für junge Briten zum guten Ton, eine Kavalierstour durch Europa zu unternehmen – und einer der Höhepunkte war die Rhein-Reise. Nicht nur englische Kavaliere waren am Rhein, auch Kelten, Germanen, Römer, Franken, Franzosen, Amerikaner – heute sind es Touristen aus aller Welt. Julius Caesar ließ als erster eine Rheinbrücke bauen. Am Rhein wählten die sieben Kurfürsten den römisch-deutschen Kaiser und hier konstituierte sich vor 30 Jahren die Bundesrepublik Deutschland.

Folgen Sie uns also an den jahrhundertelang umkämpften, heute so friedlichen Rhein; genau: an den schönen Mittelrhein. Wir beginnen die Reise im ›Heiligen Köln‹. Danach machen wir Abstecher ins links- und rechtsrheinische Umland, besuchen die Bundeshauptstadt und entdecken das Siebengebirge, schauen ins Ahrtal hinein und hinauf in den Westerwald. In Koblenz erwartet uns der romantischste Abschnitt der Fahrt: der schluchtartige Durchbruch durch das Rheinische Schiefergebirge. Burgen links und rechts, Weinberge auf den steilen Hängen und mittelalterliche Städtchen am Ufer, die Loreley und der Mäuseturm. Zwischen Rüdesheim und Bingen weitet sich die Landschaft wieder. Wir fahren vorbei am Rheingau und an Rheinhessen und erreichen die Endstationen: Wiesbaden und Mainz.

Die knapp 200 neuen Farbfotos präsentieren Ihnen eine der schönsten Landschaften Deutschlands. Viel Spaß bei der Lektüre – und bei Ihrer nächsten Rhein-Reise wünscht Ihnen

Ihr
HB Verlag

Städte und Dörfer wie aus dem Bilderbuch

Linz, die mittelalterliche ›Bunte Stadt‹ (Foto), prunkt mit malerischen Fachwerkgassen, die einer Spielzeugschachtel entnommen sein könnten. Auch die meisten anderen Orte am Rhein präsentieren sich als architektonische Schmuckkästchen, als Schatzkammern einer bürgerstolzen Vergangenheit. Gewiß, die rheinische Metropole Köln und die Bundeshauptstadt Bonn, die Großstadt Koblenz oder die Landeshauptstädte von Hessen und Rheinland-Pfalz: Wiesbaden und Mainz – sie alle haben der Neuzeit unübersehbar Tribut gezollt. In der Nachbarschaft ihrer Kirchen, Rathäuser und Schlösser ragen nun Hochhäuser in den Himmel, und die historischen Stadtkerne sind mit Nachkriegsbauten bestückt.

Dafür aber haben viele der kleineren Städte ihr pittoreskes Aussehen bewahren können, und nicht nur in Unkel oder Rhens, Boppard oder Oberwesel fühlt man sich manchmal in längst vergangene Zeiten versetzt. Da drängen sich auf oft schmalem Uferstreifen, eingeklemmt zwischen Strom und Rebhängen, niedrige Häuser mit altersgrauen Dächern um gotische oder romanische Kirchen – wie Küken um die Glucke, wenn Gefahr droht. Und Gefahr drohte – von den hoch oben in ihren Raubnestern hausenden Rittern, gegen deren Überfälle sich die Bürger durch wehrhafte Stadtmauern und Türme zu schützen suchten.

Eine Perlenkette schöner Burgen und Schlösser

Die Marksburg (Foto), dieses Musterbeispiel rheinischer Burgenherrlichkeit, thront auf steilem Bergesgipfel über dem Städtchen Braubach. Sie ist die am besten erhaltene Wehranlage am Strom, die einzige, die alle Zeitläufe unversehrt überstanden hat. Denn die meisten mittelalterlichen Trutzburgen waren längst verfallen, als im 19. Jahrhundert zuerst die Künstler und dann die Bürger den Rhein als Inbegriff alles Romantischen entdeckten. Aber wenn auch so manches alte Gemäuer seitdem erneuert worden ist – die Namen der Ritterhorste, die beiderseits das Rheinufer säumen, klingen märchenhaft wie eh und je: Katz und Maus, ›Die Feindlichen Brüder‹, Ehrenfels und Stolzenfels, Drachenfels, Rheinfels und Rolandsbogen . . .

Um viele von ihnen, nicht nur um den Mäuseturm bei Bingen, ranken sich Sagen. Einige sind auch mit historischen Ereignissen verknüpft. Zum Beispiel die auf einer Insel erbaute Pfalz bei Kaub (Titelbild): Hier setzte in der Neujahrsnacht 1813/14 Marschall Blücher auf der Verfolgung Napoleons mit seinen Truppen über den Rhein.

Die Vergangenheit war freilich nicht nur von Kriegslärm erfüllt, sonst hätten nicht kunst- und prachtliebende Bischöfe und Fürsten ihre barocken Lustschlösser am oder nahe dem Ufer erbaut. Später, in der Gründerzeit, folgten dann die Prunkvillen der Industriebarone.

Rhein und Wein – das gehört noch immer zusammen

In der »Alten Münze« zu Bacharach (Foto) schimmert es noch immer golden. Was so funkelt, ist keiner der Bacharacher Goldgulden, die einst in diesem Fachwerkbau kurpfälzische Münzmeister schlugen, sondern der Wein im Römer. Und die Römer wiederum hatten ja in ihrem Marschgepäck die Reben mitgebracht und am Rhein heimisch gemacht. Der vielbesungene Rheinwein ist wohl in aller Welt ein Begriff. Reich könnte man werden, ›wenn das Wasser im Rhein goldner Wein wär . . .‹. Um ihn vor Ort zu genießen, kommen die Zecher aus Nah und Fern in die zahllosen Weinschenken in Stadt und Land. Dabei schießt Rüdesheim mit seiner Drosselgasse den Vogel ab, touristisch betrachtet: In diesem weinseligen Ort steht tagaus, tagein rheinische Fröhlichkeit auf dem Programm. So mancher hat hier, oder auf einem der vielen Weinfeste, die entlang des Stroms gefeiert werden, schon Antwort bekommen auf die Frage ›Warum ist es am Rhein so schön?‹.
Wer den Rummel meiden und in puncto Wein sichergehen will, kehrt vielleicht bei einem Winzer ein und probiert dessen Keller durch. Besonders Wissensdurstige bilden sich gar in einem Weinseminar weiter oder folgen der ›Rheingauer Riesling-Route‹. Eine solide Grundlage im Magen für die vielen Weinproben schafft am besten eine deftig-rheinische Vesper.

Verkehrswege zu Wasser und auf dem Lande

Wenn die stromauf tuckernde ›Mainz‹ (Foto) St. Goarshausen passiert hat, ist der Höhepunkt jeder Rheinpartie nah. Während Bahnreisende den berühmten Ort unterqueren müssen, bietet er sich den oberirdischen Lustfahrern dramatisch dar: bizarr ragt hier der Loreley-Felsen empor. Für die Richtung Süden fahrenden Schiffsleute freilich ist die vielbesungene Loreley eher ein ärgerlicher Anblick, denn hier wird der Rhein gefährlich eng. Der deshalb vorgeschriebene Einbahnverkehr bedeutet Zeit- und damit Geldverlust, ebenso Hoch- oder Niedrigwasser.
Mit Romantik hat die Frachtschiffahrt noch nie etwas im Sinn gehabt. Auch am Rhein nicht, der am stärksten befahrenen Wasserstraße Europas mit pro Jahr 7000 Schiffen, die immer größer werden. Die Konkurrenz von Schiene und Straße ist stark. Über die links- und rechtsrheinischen Geleissträngе, die so manchen Ort geteilt oder vom Strom abgeschnitten haben, donnern fast pausenlos die Züge, und auf den Uferstraßen rollen die Autos oft Stoßstange an Stoßstange. Freilich, die Autobahnen haben viel Verkehr abgezogen.
Eine Fahrt durch das Rheintal bietet auch Vielgereisten eine Vielzahl von Attraktionen. Und die drei nebeneinander verlaufenden Verkehrswege Wasser, Schiene und Straße lassen für Bummler wie Eilige jede Reisevariation zu.

Zeichenerklärung für den Autoatlas

Verkehr

Autobahn mit Anschlußstelle
fertig, im Bau, geplant
Zweibahnige Autostraße
fertig, im Bau, geplant
Bundesstraße
fertig, im Bau, geplant, mit Vorfahrt
Hauptverbindungsstraße, Steigungen

Gute Ortsverbindungsstraße

Unterhaltener Fahrweg

Feld- u. Waldweg
Eisenbahn mit Bahnhof
Eisenbahn außer Betrieb
Klein- u. Straßenbahn

Zahnradbahn, Lift, Skilift

Kilometrierung zwischen größeren Orten, Autobahnauffahrten und Hauptkreuzungen

Kilometrierung von Ort zu Ort

Für Kfz gesperrt, für Kfz gegen Gebühr

Wo gibt es was?-Hinweis

Touristische Anziehungspunkte

Besonders sehenswert
Sehenswert

Natursehenswürdigkeit
(z. B. Höhle, Fels, Geolog., Pflanzen)

Landschaftlich schöne Strecke

Touristenstraße

Sehenswerter Stadtkern
Burg, Schloß
Kloster, Kirche, Kapelle
Ruine
Höhle
Denkmal
Aussichtspunkt

Touristeneinrichtungen

Hotel, Restaurant
Hütte
Jugendherberge
Naturfreundehaus
Motel
Campingplatz
Parkplatz
Ort mit Schwimmbad
u. Badegelegenheit

Sonstige Angaben

Kirche, Kapelle
Schloß, Burg
Ruine
Ringwall, Schanze
Turm
Denkmal

Forsthaus, Wald

Mühle, Sportplatz

Naturschutzgebiet

Grenzübergang

Staatsgrenze

Landesgrenze

Flughafen

Lande- u. Segelflugplatz

Segelflugplatz

Maßstab 1 : 100 000

0   1   2   3   4
Kilometer

Kapitel

1

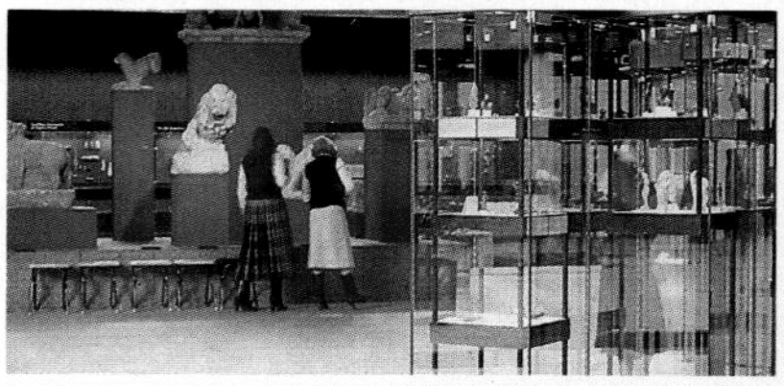
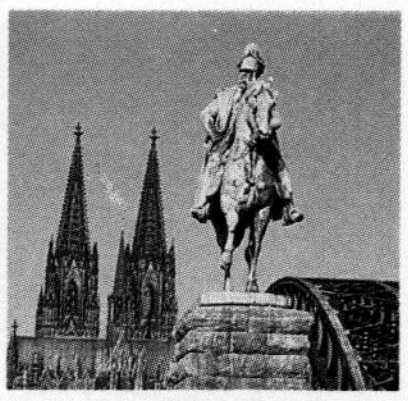

2

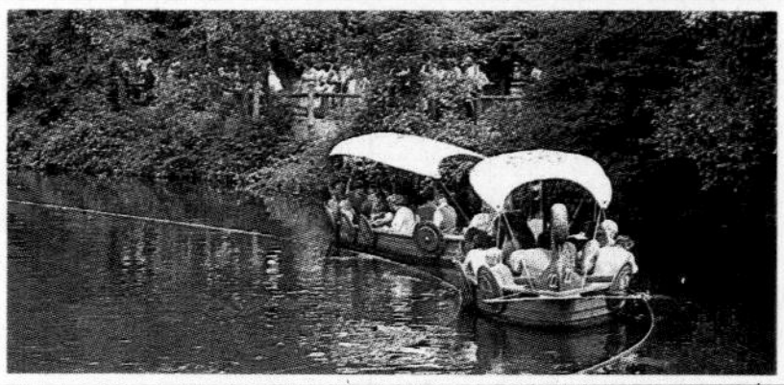

3

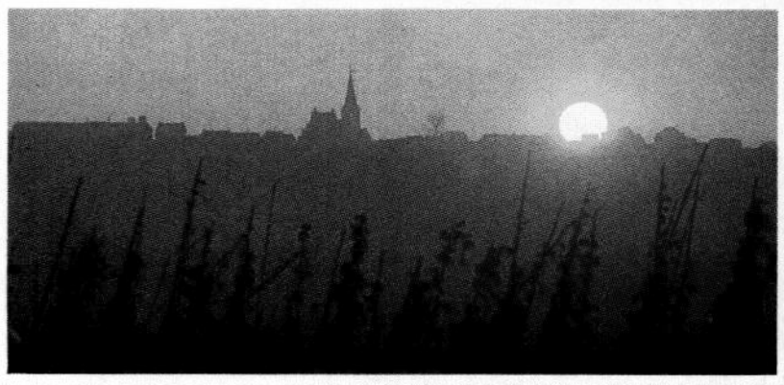
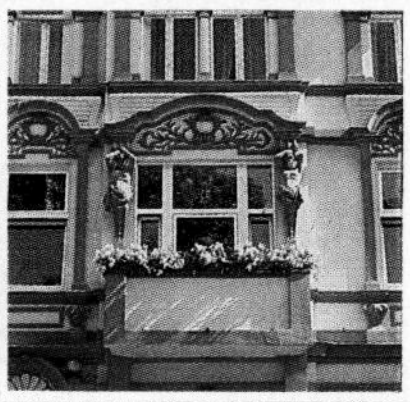

4

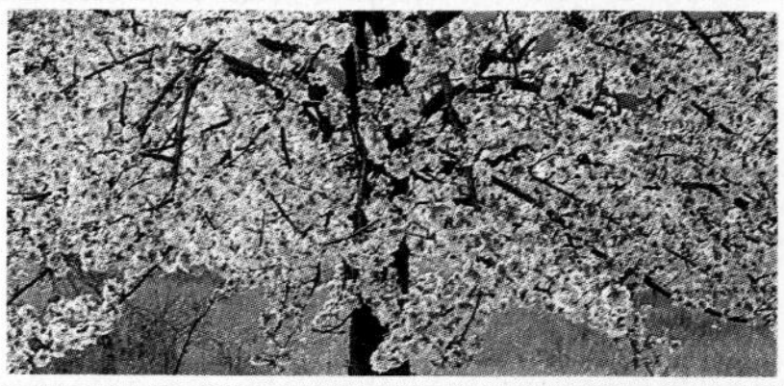

5

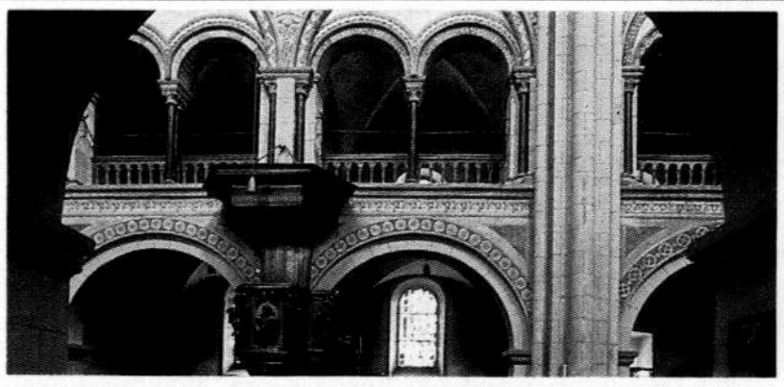
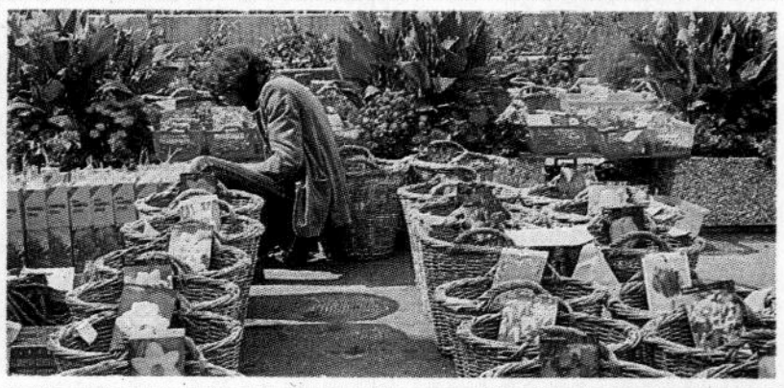

6

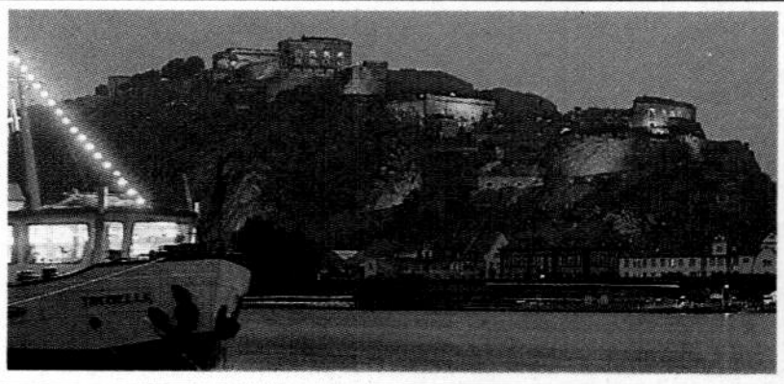
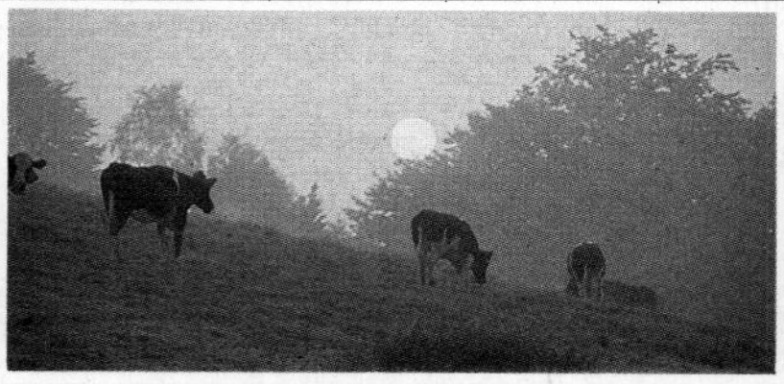
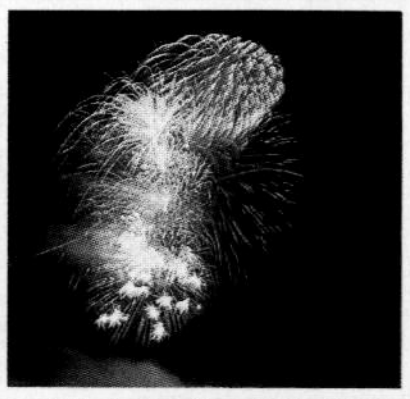

7

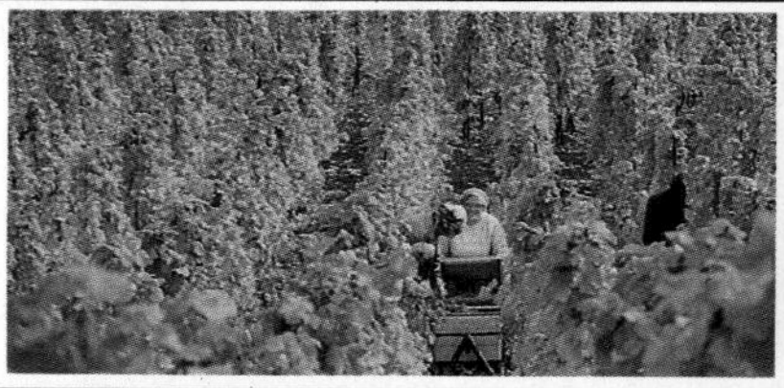
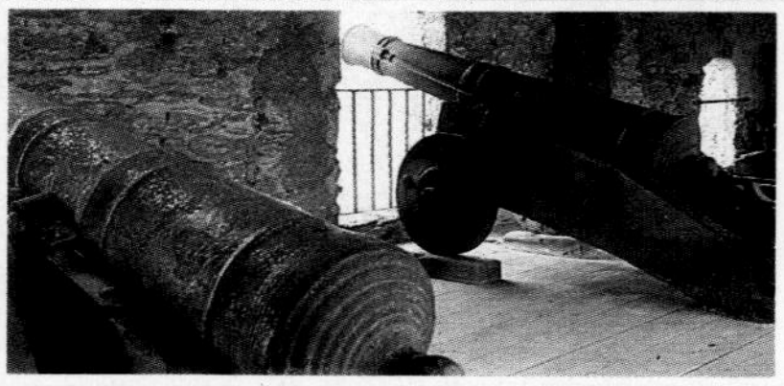

8

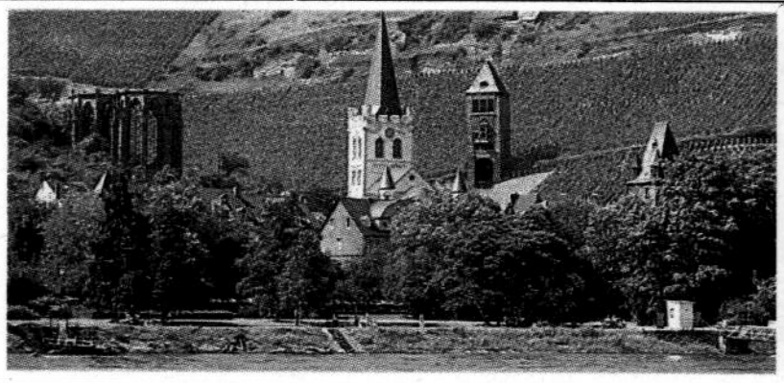
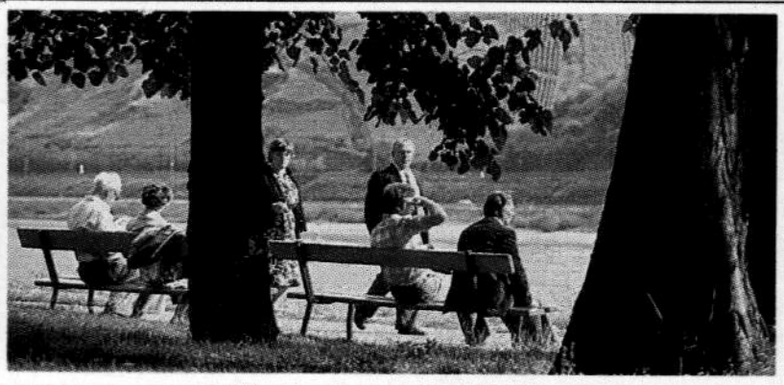
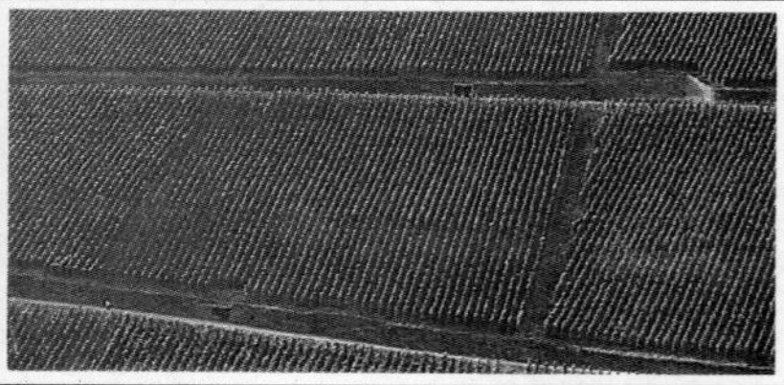

9

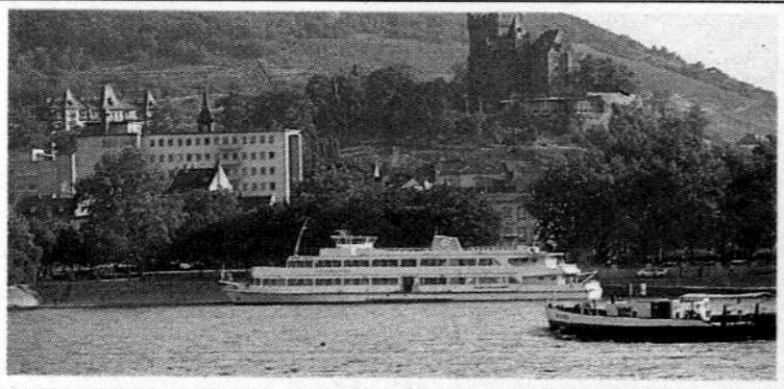
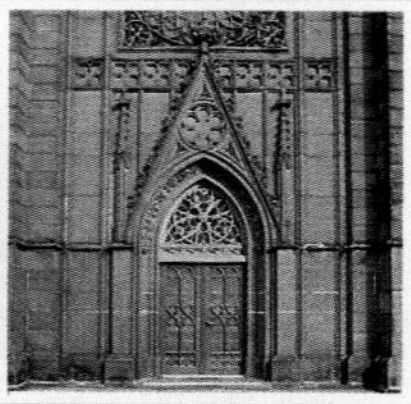

10

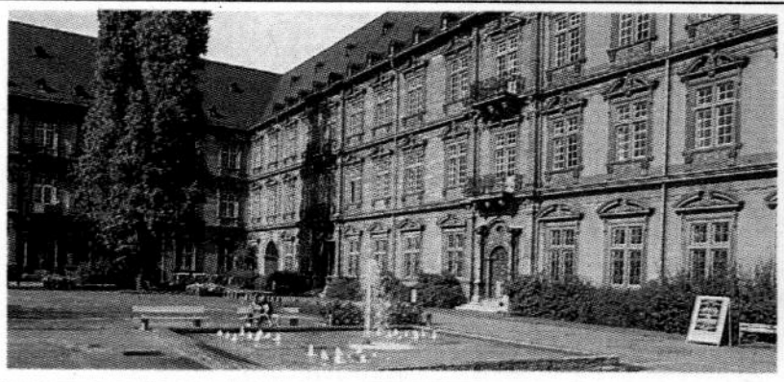
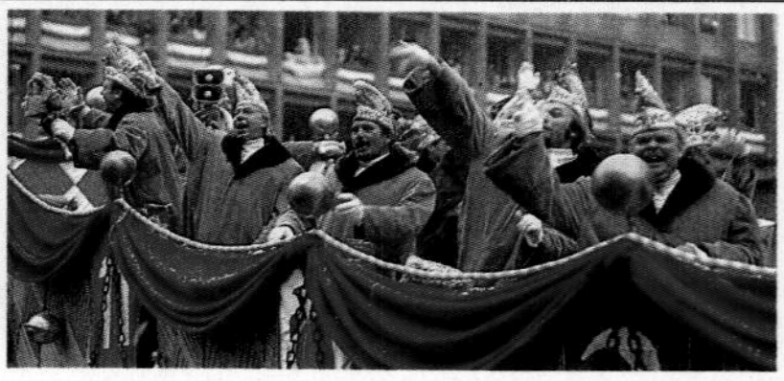

Weltstadt a

m Rhein: Köln

△ Köln: Am Römisch-Germanischen Museum

△ Schnütgen-Museum: Muttergottesstatue

Altes Rathaus ▽

Rund 14 Meter hoch
ist das Poblicius-Grabmal
im Römisch-Germanischen Museum

△ Im Römisch-Germanischen Museum: Das berühmte Dionysos-Mosaik   Das römische Nordtor auf der Domterrasse ▽

Der mächtige Vierungsturm von Groß-St. Martin prägt seit 1220 das Stadtbild; hinten rechts Turm des alten Rathauses ▽

Aus der Colonia der Römer wurde das ›Heilige Köln‹

Schon ›klassisch‹ ist der Blick über den Rhein mit den Brückenbogen und der Silhouette des Doms (S. 8/9). Direkt beim Dom wurde 1941 beim Bau eines Luftschutzbunkers das Dionysos-Mosaik freigelegt. Zusammen mit dem 14 Meter hohen Poblicius-Grabmal ist es heute eines der Glanzstükke des Römisch-Germanischen Museums. 1974 eröffnet und seitdem hoch in der Publikumsgunst, zeigt das Museum die tausend Façetten des römischen Köln. Die ›Colonia Claudia Ara Agrippinensium‹ entstand, als die Römer gegen die Germanen Krieg führten. Sie überzogen die Rheinlande mit einem Netz von Kastellen. Jedoch nur eines war die Keimzelle einer Stadt, die seit der Römerzeit ununterbrochen eine bedeutende Rolle spielt. Aus der antiken ›Colonia‹ wurde eine der glanzvollsten Städte des europäischen Mittelalters: Köln.

Der Ehrenname ›Heiliges Köln‹ geht auf die sieben Kardinalpriester zurück, die nach dem Vorbild der Peterskirche in Rom am Kölner Dom wirkten. Und natürlich ist er das markanteste Kölner Gotteshaus. Er bestimmt das Stadtbild freilich erst seit einem Jahrhundert: Am 15. Oktober 1880 war der Dom endlich vollendet und wurde unter der Anteilnahme ganz Deutschlands geweiht. Als 1248 der Grundstein an der Stelle des abgebrannten alten Domes gelegt wurde, ragte der mächtige Vierungsturm von Groß-St. Martin bereits in den Himmel, und auch viele andere Kirchen wurden damals schon längst von Gläubigen besucht. Dennoch war Köln keine frömmelnde Stadt. Die Bürger lebten vielmehr in ständigem Zwist mit den Erzbischöfen, deren Herrschaft sie 1288 abschüttelten. Sichtbares Zeichen des neuerwachten Bürgerstolzes: das gotische Rathaus mit seinem massigen Turm und dem Renaissance-Vorbau.

11

△ Kölner Gastlichkeit: »Weinkrüger«...

...und »Früh« am Dom ▽

△ Revier für Kauflustige: die Hohe Straße

Treffpunkt der Pelikane im Kölner Zoo ▽

Blütenpracht im Botanischen Garten ▽

Kölns Hohe Straße – ein ideales Bummelrevier

Eine Straße, die zum Bummeln und Einkaufen förmlich zwingt, eine Bühne für städtisches Leben, deren überschaubare Proportionen erst wieder spürbar und erlebbar sind, seitdem die Autos verbannt wurden. Und wenn der Begriff ›Fußgängerzone‹ auch modern ist: Die Hohe Straße selber ist uralt. Seit den Zeiten der Römer haben sich ihr Verlauf und Ausmaß nicht geändert, nur die Bebauung. Und daß städtische Enge das Leben nicht behindert, sondern fördert, ist eine alte Weisheit. Sie beruht auf den Erfahrungen vieler Bürgergenerationen und wurde in Altstadtgassen genauso gewonnen wie in Bierkneipen und Weinkellern.

Natürlich wird in Köln auch dem Saft der Reben zugesprochen, aber Nationalgetränk ist das obergärige ›Kölsch‹, das der ›Köbes‹, der Kellner im blauen Wams, auf den blankgescheuerten Holztisch stellt. In den echt ›Kölschen Weetschaften‹ wird kein großer Aufwand getrieben. Dafür aber wird das großgeschrieben, was sich heutzutage hochtrabend ›Kommunikation‹ nennt. Und dazu ist kein Animateur nötig, denn die Gäste, ob Einheimische oder Fremde, animieren sich selber, bei ›Kölsch‹, ›Kölsche Kaviar‹ (Blutwurst und Roggenbrötchen) oder ›Halven Hahn‹ (Käse mit Roggenbrötchen). Aber nun hinaus aus der Enge der Altstadtquartiere und Wirtschaften, hinaus ins Freie! Ein Innerer und ein äußerer Grüngürtel (zusammen 19 Kilometer lang und 920 Hektar groß) umgeben die Stadt, und auf dem rechtsrheinischen Ufer schließt an das Messegelände der 50 Hektar große Rheinpark an. Seitdem hier 1971 zum zweitenmal die Bundesgartenschau stattfand, verbindet eine Gondelbahn beide Ufer. Die linksrheinische Station ist der Zoologische Garten in der Nachbarschaft des Botanischen Gartens.

13

△ Blumen für die Dame

△ Ob's eine echte Marktfrau ist?

△ Karneval in Köln: Rote Perücken schmücken die Dame...

...wie den Herrn ▽

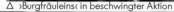
△ ›Burgfräuleins‹ in beschwingter Aktion

△ Punkte, Streifen und lustige Clownsgesichter   Ein Fläschchen in Ehren... ▽

Der Kölner Karneval heißt ›Fastelovend‹

Das Fernsehduell mit der Määnzer Fassenacht hat der Kölner Karneval, sehr zum Leidwesen seiner Funktionäre, verloren. Doch der Freude der ›Jecken‹ am närrischen Treiben tut das keinen Abbruch. Und die sagen auch nicht Karneval, sondern ›Fastelovend‹. Freilich, dieser ›Abend‹ gerät recht lang, denn er beginnt, wenigstens nach offizieller Zeitrechnung, am Elften im Elften um elf Uhr elf, um dann allerdings bis Weihnachten in den einstweiligen Ruhestand zu treten. An Silvester aber erwacht er zu neuem Leben, nimmt nach und nach von der ganzen Stadt Besitz und steigert sich schließlich in den Rausch der drei tollen Tage. Und was bis dahin ins dekorierte Gehege der Säle gesperrt und ins Ritual der Prunksitzungen gepreßt war, bricht sich nun temperamentvoll den Weg ins Freie: schiere Lebenslust, befreit von den Fesseln der täglichen Mühsal, der spießbürgerlichen Konvention, des obrigkeitlichen Staates – so war es mal. Die Zeiten jedoch, da man den Obrigkeitsstaat durch imitierende Übertreibung lächerlich machen konnte, sind vorbei. Und in einer weltlich gewordenen Welt mit ihren weitherzigen Moralvorstellungen braucht keiner, der über die Stränge schlagen will, auf den Karneval zu warten.

Und dennoch ist es pure Lebensfreude, die den Karneval am Leben hält. Die Weiberfastnacht am Donnerstag ist die Ouvertüre für die drei tollen Tage, die am Sonntag mit den ›Veedelzög‹, den derbfröhlichen Maskenzügen der Stadtviertel, beginnen, am Rosenmontag, wenn ›d'r Zog kütt‹ (der kilometerlange Zug), ihren Höhepunkt erreichen und am Dienstag mit dem Kehraus ausklingen. Am Aschermittwoch ist alles vorbei – ausgenommen für die Müllmänner, die tonnenweise Konfetti und Luftschlangen wegkehren müssen.

15

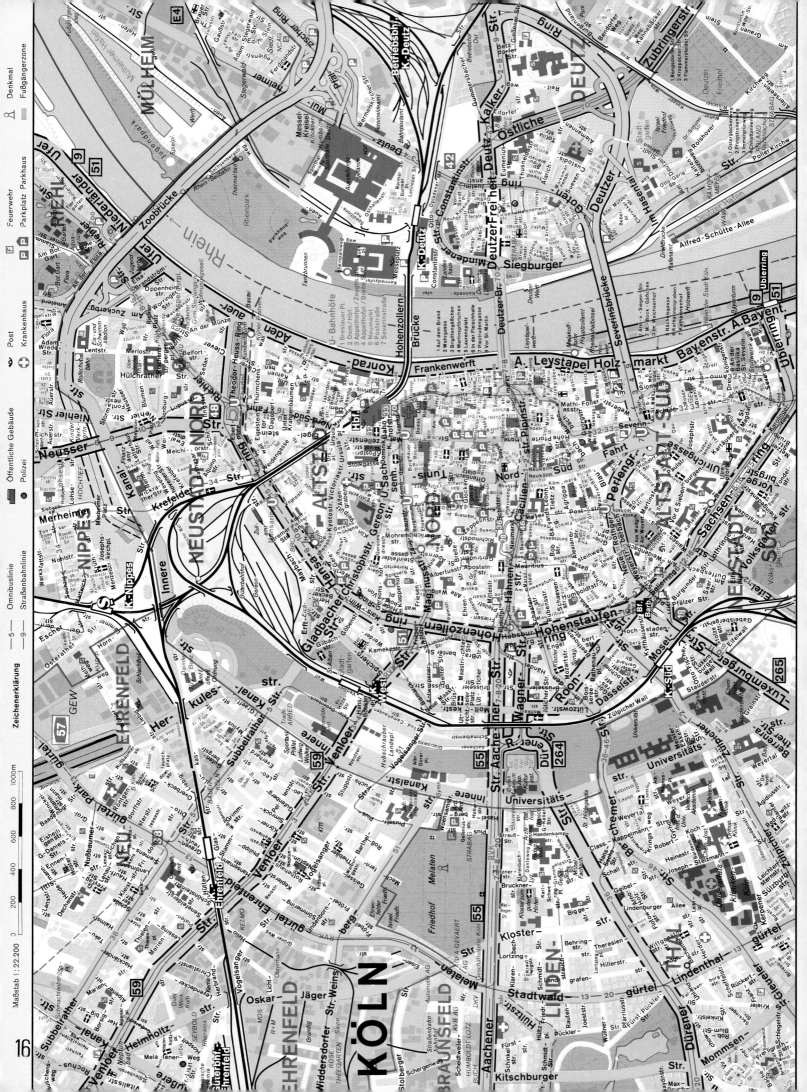

Wo gibt es was?

Köln

Die hier geborene römische Kaiserin Agrippina verlieh 50 n. Chr. der noch jungen Siedlung Stadtrechte und Namen: Colonia Claudia Ara Agrippinensium. Als Colonia machte der Ort Karriere im Römischen Reich, bis ihn die Franken 456 zerstörten. Den allmählichen Wiederaufstieg krönte Kaiser Karl der Große, der Köln 795 zum Erzbistum erhob. Und seit 1052 durfte die Stadt sich mit Erlaubnis des Papstes ›Sancta Colonia‹ nennen, ›Heiliges Köln‹.

1288 brach die Bürgerschaft die Macht der Geistlichkeit. Die Bürger gründeten 1388 die Universität, die heute die sechstgrößte Hochschule der Bundesrepublik ist. Erst 1475 wurde die Hansestadt auch Freie Reichsstadt – und blieb es bis 1797, als französische Revolutionstruppen einmarschierten. 1815 fiel Köln an Preußen.

Nach 1945 wurde nicht Köln, sondern Düsseldorf Hauptstadt des neuen Bundeslandes Nordrhein-Westfalen. Mit fast einer Million Einwohnern ist Köln die drittgrößte Stadt der Bundesrepublik Deutschland.

Kirchen

Der Dom St. Peter ist das größte deutsche Gotteshaus und eine der schönsten gotischen Kathedralen der Welt. 1248 wurde der Grundstein gelegt, 1322 der Chor geweiht, 1437 war der Südturm bis zum zweiten Geschoß errichtet, doch seit 1560 ruhten die Arbeiten. Erst 1842 begann der Weiterbau, und 1880 war dann der Dom vollendet. Seine Ausmaße sind beachtlich: Gesamtfläche 6 170 qm, fünfschiffiges Langhaus 144 m lang, dreischiffiges Querhaus 86 m lang, Gewölbehöhe 44 m, Türme 157 m hoch (Besteigung des Südturms möglich). Das Innere birgt Kunstschätze von höchstem Rang: den Schrein der Heiligen Drei Könige (1200), ein Meisterwerk niederrheinischer Goldschmiedekunst; das Altarbild Stephan Lochners (1440); Gero-Kreuz (970) und Mailänder Madonna, Chorgestühl (1320) und Glasfenster-Zyklus (16. Jh.). Sehenswert sind auch die Kostbarkeiten der Domschatzkammer und bemerkenswert die 500 Zentner schwere Petrusglocke, die größte schwingende Glocke der Welt. Eine Auswahl der vielen weiteren Kölner Kirchen: St. Gereon (Gereonstraße) ist das älteste Gotteshaus; der frühchristliche Zentralbau (4. Jh.) wurde im 12. Jh. romanisch umgestaltet. – St. Pantaleon (Waisenhausgasse), ein monumentaler Bau (10. Jh.), besitzt den ältesten erhaltenen Kreuzgang auf deutschem Boden. – St. Maria im Kapitol (Pippinstraße), geweiht 1065, hat holzgeschnitzte Türen aus dem 11. Jh. – St. Georg (Am Waidmarkt) ist die einzige erhaltene Säulenbasilika des Rheinlands (11. Jh.). – St. Apostel (Neumarkt) ist das Hauptwerk romanischer Sakralarchitektur im Rheinland (13. Jh.). – Groß-St. Martin (Altstadt); der mächtige Vierungsturm (1220) ist eines der Wahrzeichen Kölns. – St. Maria Lyskirchen (Am Leystapel), die Kirche der Rheinschiffer (13. Jh.) mit sehenswerten Deckenmalereien, hat als einziges Kölner Gotteshaus das Bomben-Inferno unversehrt überstanden. – St. Kunibert (Kunibertgasse) besitzt einen der bedeutendsten romanischen Glasfenster-Zyklen Deutschlands (13. Jh.). – St. Severin (Severinstraße) zeigt im spätromanischen Chor die berühmten Gemälde des Meisters von St. Severin (um 1500). – In der gotischen Antoniterkirche (Schildergasse) hängt der berühmte Todesengel von Ernst Barlach (1938). – Die Ruinen von St. Alban (Martinsstraße) erinnern an die 50 000 Kölner Bürger, die im Zweiten Weltkrieg ihr Leben ließen.

Weltliche Bauten

Eindrucksvoll sind die Reste der römischen Stadtbefestigung: der fast vollständig erhaltene Römerturm (Ecke Zeughausstraße/Apernstraße), das Ubiermonument (Ecke Mühlenbach/An der Malzmühle), Nordtor (Domterrasse) und Stadtmauer (Komödienstraße/Tunisstraße und Zeughausstraße/Auf dem Berlich). Im Keller des Neuen Rathauses (Kl. Budengasse) ist ein Teil des Praetoriums, des Statthalterpalastes, zu besichtigen.

Von der mittelalterlichen Stadtmauer zeugen drei mächtige Torburgen: Eigelsteintor (Eberplatz), Hahnentor (Rudolfplatz) und Severinstor (Chlodwigplatz). Das einzige romanische Patrizierhaus Kölns ist das Overstolzenhaus (Rheingasse) mit seinem mächtigen Treppengiebel. Aus gotischer Zeit stammen der Gürzenich (Martinstraße) und das Alte Rathaus (Alter Markt) mit 61 m hohem Turm (täglich Glockenspiel um 12 und 17 Uhr), festlichem Hansasaal und Renaissance-Vorhalle. Weitere sehenswerte Bürgerhäuser aus dem 15. bis 18. Jh. stehen in der Altstadt.

Museen

Römisch-Germanisches Museum (neben dem Dom); Prunkstücke sind das Dionysos-Mosaik und das 14 m hohe Poblicius-Grabmal. – Kölnisches Stadtmuseum im ehem. Zeughaus (Zeughausstraße), zur Zeit nur Teilausstellungen, ab 1981, nach dem Umbau, komplette Übersicht von der fränkischen Zeit bis zur Gegenwart. – Wallraf-Richartz-Museum und Museum Ludwig (An der Rechtsschule), berühmte Gemälde vom Mittelalter bis heute, Skulpturen ab 1800, Kunst des 20. Jahrhunderts. – Schnütgen-Museum in der Cäcilienkirche (Cäcilienstraße); sakrale Kunst aus eineinhalb Jahrtausenden. – Kunstgewerbemuseum (Ausstellungen im Overstolzenhaus, Rheingasse), Kunsthandwerk seit dem Mittelalter. – Kunsthalle (Josef-Haubrich-Hof); Ausstellungen der Kölner Museen (Sonderankündigungen) und des Kunstvereins. – Rautenstrauch-Joest-Museum (Ubierring), bedeutende völkerkundliche Sammlungen. – Museum für Ostasiatische Kunst (Universitätsstraße), Kunst aus China, Korea und Japan. – Kunstinteressierte werden sicher auch einige der rund 50 Kölner Galerien besuchen.

Theater und Konzerte

Städtische Bühnen am Offenbachplatz mit Opern- und Schauspielhaus und Kammerspielen im Rautenstrauch-Joest Museum. – Theater am Dom (in der Ladenstadt neben dem Opernhaus) mit Boulevard-Stücken. – Volkstheater Millowitsch (Aachener Straße). – Konzerte des WDR-Rundfunk-Sinfonieorchester und des Städtischen Gürzenichorchesters im Gürzenich, des Rheinischen Kammerorchesters in der Cäcilienkirche. Am ›Tanzbrunnen‹ im Rheinpark gibt es von Mai bis September Konzerte und Tanzdarbietungen.

Essen- und Ausgehen

Zu den traditionellen ›Kölschen Weetschaften‹, in denen das obergärige Bier ›Kölsch‹ schäumt, zählen »Früh« am Dom und »Brauhaus Sion«; stimmungsvoll sitzt man im historischen Weinkeller bei »Weinkrüger«. Die berühmteste Kochkunst wird im »Dom-Hotel«, in »La Poêle d'Or« und im »Goldenen Pflug« (Stadtteil Merheim) zelebriert. Eine ausgezeichnete Küche haben u. a. »Chez Alex«, »Weinhaus im Walfisch« und »Bastei«. An Diskotheken und Musikkneipen ist kein Mangel; z. B. »Lord's Inn«, »El Gaucho« und »Gilbert's Pinte«. – Zu erwähnen sind schließlich die Gaststätten mit ausländischen Spezialitäten sowie die Nachtlokale.

Auskunft: Verkehrsamt, Unter Fettenhennen 19 (gegenüber dem Domportal), 5000 Köln 1.

Ausflug in die

Schloß Augustusburg in Brühl

Kölner Bucht

△ Der moderne Flughafen Köln/Bonn

Statuen im Schloß Augustusburg, Brühl ▽

△ Industrie am Rhein in Wesseling

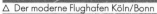

△ Wikingerboot-Fahrt...

...und Westernstadt im ›Phantasialand‹ ▽

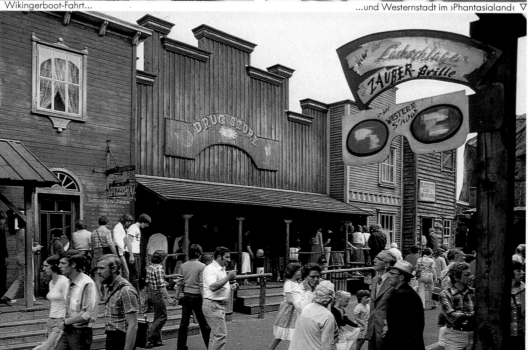

20

Gemäldeausstellung im Schloß Brühl ▽

Brühl: Im Barockschloß
finden Galaempfänge statt

Von Köln bis Bonn ist der
Rhein ohne jede Roman-
tik, eher ein Arbeitstier,
das zwischen Hochwasserdäm-
men gefangen gehalten wird.
Hinter den Deichen liegen Fel-
der und rauchen Schlote. Hier in
der weiten Kölner Bucht kündigt
sich schon das Revier an. Auch
die Wesselinger Rheinfront läßt
an Ruhrstädte denken, aber der
weite Strom korrigiert diesen
Eindruck gleich wieder. Dennoch, Wesseling ist eine reine
Industriestadt. Hier stehen die
Raffinerien, die das Rohöl aus
Rotterdam und Wilhelmshaven
verarbeiten, und hier wird die im
Rheinischen Revier zwischen
Köln, Aachen und Brühl geförderte Braunkohle verschifft.
Aber wer denkt bei Brühl schon
an Kohle! Wo einst gefräßige
Bagger die Flöze abräumten,
breitet sich nun eine Erholungs-
landschaft aus, warten Wälder
und Seen auf natursüchtige
Großstädter. Der Zug hinaus ins
Grüne ist freilich nicht neu:
Schon die Kölner Kurfürsten
und Erzbischöfe vergnügten sich
in ihrer Sommerresidenz Schloß
Augustusburg bei Brühl, einem
barocken Prachtbau mit einem
Juwel von Garten (S. 18/19). Die
Aristokraten im geistlichen Gewand haben damit der Bundesrepublik ein wertvolles Vermächt-
nis hinterlassen. Die gibt in
Schloß Augustusburg mit seinem triumphalen Treppenhaus
und den prunkvollen Räumen
ihre Galaempfänge.
Nicht weit von Brühl und seinem
Schloß liegt ein Ort, der jedermann viel Vergnügen ver-
spricht: ›Phantasialand‹. Ein
Freizeitparadies vom Reißbrett,
ein Abenteuerland, das für ein
paar Stunden eine bunte weite
Welt vorzaubert, in der fast alles
erlaubt ist, was Spaß macht.
Und wer einen Hauch Orient
erhaschen will, der muß sich
nicht zum Flughafen Köln/Bonn
bemühen – denn eine Türken-
stadt gibt's im ›Phantasialand‹
auch.

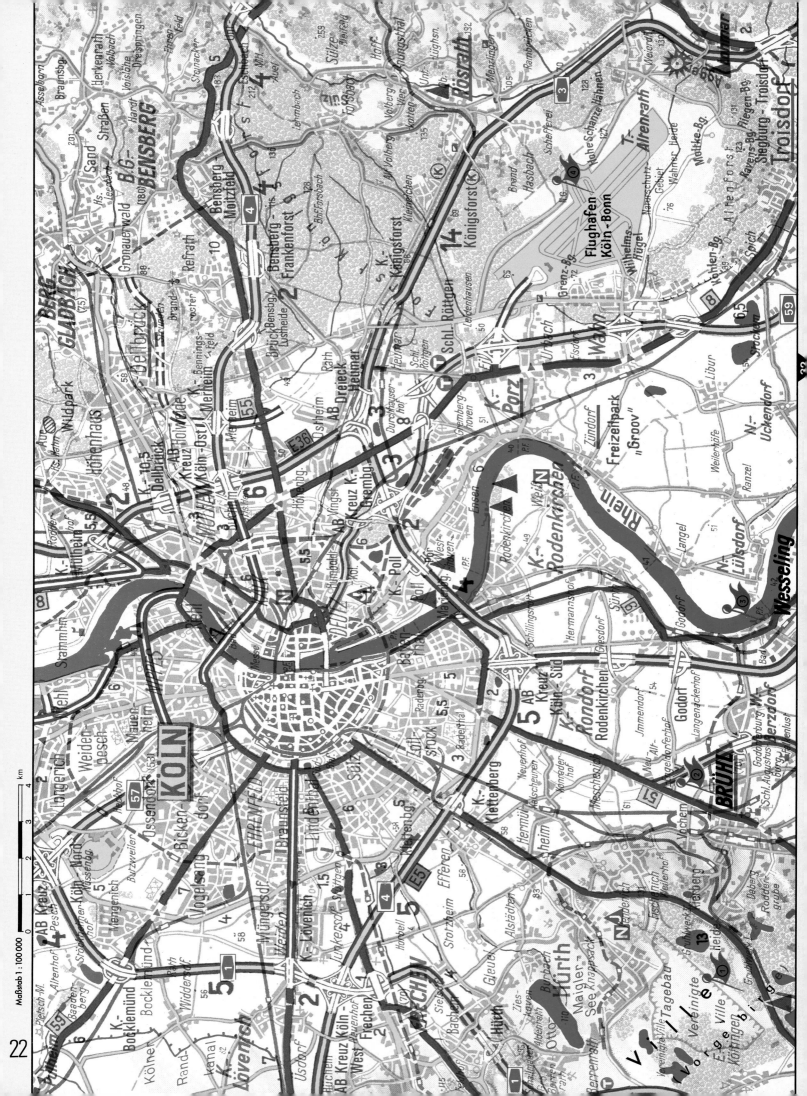

Wo gibt es was?

Ville ①

Denkbar ist es schon, daß der Name aus dem Lateinischen kommt. Denn am Osthang dieses Höhenzuges zwischen den Flüssen Rhein und Erft standen einst die villae, also die Landhäuser der Römer. Doch ob nun von Villen abgeleitet oder auch nicht: Der oft schlicht und einfach Vorgebirge genannte, bis 177 m aufragende Höhenrücken grenzt im Südosten, bei Meckenheim, an das Ahrgebirge und bildet gemeinsam mit dem ehemals kurkölnischen Jagdrevier im Westen und Südwesten Bonns den 158 qkm großen *Naturpark Kottenforst-Ville*.

Das Rheinische Braunkohlenrevier grenzt im Westen fast an Aachen und im Süden an Brühl. Über 16 000 Hektar haben die Bagger bereits umgepflügt; der größte ist 83 m hoch, und die Anlage ›Fortuna Garsdorf‹ zum Beispiel ist 230 Meter tief und umfaßt 16 qkm. Täglich werden 100 000 Tonnen Braunkohle unter den Kesseln der Kraftwerke verheizt. Im Süden des Braunkohlenreviers, bei Brühl, sind die Wunden, die der Tagebau der Landschaft zugefügt hat, schon wieder vernarbt. Dank der Rekultivierung sind verträumte Waldseen, die die Menschen aus dem Großraum Köln–Aachen–Bonn zuhauf anziehen, entstanden und neue Anbauflächen für die Landwirtschaft.

Eine jüngere Attraktion von gänzlich anderer Art ist ›Phantasialand‹, am Rande von Brühl gelegen. Es soll Europas größtes Freizeit- und Abenteuerparadies sein. Bequem über die Autobahn zu erreichen, warten auf dem 28 ha großen Gelände Western-Stadt, Alt-Berlin, Märchenpark, Wildwasserbahn und vieles mehr auf große und kleine Besucher. Vom 1. April bis Oktober-Ende täglich zwischen 9 und 19 Uhr geöffnet. – Erst im Mai 1979 eröffnet wurde bei *Rheinbach* am Rande des Naturparks Kottenforst-Ville ein 15 ha großer ›Freizeitpark‹ mit Sport- und Spielmöglichkeiten für Erwachsene und Kinder.

Unweit von Brühl liegt der Bornheimer Ortsteil *Walberberg*. Hier steht die Wallfahrtskirche St. Walburgis (12. Jh.); bemerkenswert sind auch der sog. Hexenturm (11. Jh.) und das Jagdschlößchen Kitzburg.

Brühl ②

Dem Zwist zwischen den Kölner Erzbischöfen und den Kölner Bürgern verdankt Brühl die Stadtrechte aus dem Jahr 1285. Die Siedlung selber wurde schon 1180 erwähnt, und noch früher standen hier römische Villen. Die Kölner Erzbischöfe und Kurfürsten zog es ins Grüne, sie residierten von 1469 bis 1597 in Brühl. 1689 wurden Wasserburg und Städtchen zerstört. An der Stelle der verwüsteten Wasserburg ließ der kölnische Kurfürst und Erzbischof Klemens August das heutige Repräsentationsschloß des Bundespräsidenten errichten: Augustusburg. Die Pläne des zwischen 1725 und 1748 entstandenen Prachtbaues stammten vom Münchener Baumeister François Cuvilliés. Das berühmte Treppenhaus, eines der prächtigsten in Europa, schuf das Genie des Barock: Balthasar Neumann. Und der Park – in dem an seinem Rand liegenden Rokoko-Jagdschlößchen Falkenlust war der junge Rhein-Reisende Mozart zu Gast – ist ein Kleinod der Gartenkunst des 18. Jahrhunderts. Besichtigung des Schlosses täglich (ausgenommen der letzte Samstag und Sonntag des Monats) von 10–12 und 14–16 Uhr in den Monaten Februar bis November; Schloßkonzerte finden von Mai bis Oktober statt.
Auskunft: Informationszentrum 5040 Brühl.

Wesseling ③

Dank der Eingliederung von Wesseling war Köln Millionenstadt geworden: 1 022 000 Einwohner im Jahre 1975; aber am 1. Juli 1976 bekamen die 28 000 Wesselinger ihre Selbständigkeit zurück. Der erst 1972 zur Stadt erhobene Ort am Rhein ist nicht nur der größte Umschlaghafen für die im Köln–Aachener Revier geförderte Braunkohle, sondern auch ein bedeutender Standort der Petrochemie. Hier enden die Pipelines von Rotterdam und Wilhelmshaven, und des Nachts glitzern die Raffinerien wie Diamanten, wenn Abertausende von Lichtern funkeln.

Bemerkenswert ist, daß die Wesselinger Parkhäuser keine Gebühren erheben, und sehenswert sind, wenigstens für Heimatforscher, die Luciakapelle und der Sioniterhof: zwei aus dem 18. Jh. stammende, aber schon im 13. Jh. erwähnte Bauwerke.

Im Rheinpark finden im Sommer Konzerte statt, und am dritten Sonntag im Mai und am ersten August-Sonntag feiern die Wesselinger Kirmes.
Auskunft: Stadtverwaltung 5047 Wesseling.

Flughafen Köln-Bonn ④

Wo heute für die meist per Flugzeug anreisenden Staatsgäste aus aller Welt rote Teppiche ausgerollt werden und Ehrenkompanien antreten, war einmal nichts als Ödland: die Wahner Heide. Den 1938 angelegten Fliegerhorst übernahm nach 1945 die englische Besatzungsmacht und baute ihn aus. Als 1949 die Bundesrepublik gegründet wurde, durften Köln und Bonn die Anlagen mitbenutzen, die 1951 in deutsche Verwaltung übergingen. Erst 1959 begann der Ausbau zum internationalen Flughafen. 1961 starteten die ersten Maschinen zum interkontinentalen Nonstop-Flug auf der 3 000 m langen Piste.

1966 wurde mit dem Bau der neuen Empfangsanlagen begonnen, und 1970 eröffnete der damalige Bundespräsident Dr. Heinemann einen der modernsten Flughäfen Europas, der nun auch nicht mehr ›Wahn‹ sondern ›Köln-Bonn‹ heißt. Die Bundesrepublik hatte mit ihm eine neue Visitenkarte erhalten und die Rheinregion einen leistungsfähigen Flugplatz.

Die Verkehrsanbindung ist beispielhaft gut gelöst. Dank einem Netz von Schnellstraßen und Autobahnen sind die 14 bzw. 22 km entfernten Städte Köln und Bonn in wenigen Minuten zu erreichen – vorausgesetzt, es gibt keine der stets drohenden Staus auf diesen vielbefahrenen Straßen. Überhaupt: die Verkehrsverhältnisse in dieser Region sind ausgesprochen gut. Als einzige deutsche Großstadt ist Köln durch einen 54 km langen Autobahnring vom Durchgangsverkehr entlastet.

Der Rhein ist längst keine unüberwindliche Barriere mehr. Acht Brücken überspannen den Strom allein im Kölner Raum. Die Mühlheimer ist die längste Kabelhängebrücke Europas, und die Severinsbrücke mit ihrem A-förmigen Pylon wurde zu einem Kölner Wahrzeichen.

Die erste Brücke über den Rhein schlugen bereits um 310 die Römer; um 965 ließ Erzbischof Bruno die Reste abreißen, weil sie räuberischem Gesindel Unterschlupf boten. Seither soll es auch den Namen ›schäl Sick‹ für das rechte Rheinufer geben. Dazu gehören die Stadtteile Deutz, Kalk und neuerdings auch Porz, zu dem Wahn gehört und damit der Flughafen. Auf der rechten Rheinseite, der ›schäl Sick‹, liegen übrigens zwei Fünftel des gesamten Kölner Stadtgebietes; hier befinden sich das Kölner Messegelände, Industriebetriebe und Rheinpark. Einen Besuch lohnen die St. Nikolaus-Kirche (1128) im Ortsteil *Westhoven*, der mittelalterliche Zollturm am Rhein in *Zündorf* und das durch sein Gestüt bekannte *Schloß Röttgen*. Ebenfalls in der Nähe: die Freizeitinsel *Porz-Zündorf* ›Groov‹ mit Sport- und Spielanlagen, Liegewiesen und Freibad.
Auskunft: siehe Köln (S. 17).

enz zur Hauptstadt

Weit bekannt:
Pützchens Jahrmarkt
in Bonn-Beuel

△ Abendstimmung am Rhein: Blick auf Bonn-Beuel

Im ehemaligen Kurfürstlichen Schloß befindet sich die Universität ▽

26

△ Die berühmte Doppelkirche in Schwarz-Rheindorf: außen...

△ ... und innen   Im Bonner Münster ▽

Wer die Bundeshaupt-
stadt ein Dorf schilt,
tut Bonn Unrecht.
Denn der Stadt ist eine Rolle
aufgezwungen worden, auf die
sie nicht vorbereitet war. Gewiß,
Bonn war einmal die Landeshauptstadt von Kurköln, und
dessen Erzbischöfe residierten
in ihren beiden Schlössern: dem
Kurfürstlichen Schloß und dem
›Clemensruhe‹ genannten Poppelsdorfer Schloß. In beiden
Bauwerken residiert statt der
Macht die Wissenschaft, denn
seit preußischer Zeit ist Bonn
eine wohlbeleumdete Universitätsstadt, die berühmte Gelehrte
anzog. Weitergehende Wünsche
waren nicht vorhanden, auch
nicht, als 1949 der Parlamentari-
sche Rat in der Pädagogischen
Akademie zu tagen begann. Die
Folgen sind bekannt: Am 3. November 1949 wurde Bonn zur
provisorischen Hauptstadt der
Bundesrepublik Deutschland
gewählt.
Beuel war damals noch eine selb-
ständige Gemeinde, die bisher
alle Versuche zur Eingemein-
dung erfolgreich abgewehrt
hatte. Damit ist es nun vorbei:
Bonn hat als größten Brocken
Bad Godesberg geschluckt und
als zweitgrößten Beuel samt
Schwarz-Rheindorf. Beuels
Name ist noch in Verbindung mit
einem der größten Jahrmärkte
lebendig, dem über 600 Jahre
alten ›Pützchens Markt‹ (S.
24/25) und seiner historischen
Weiberfastnacht. Und bei dem
Namen Schwarz-Rheindorf mer-
ken Kunsthistoriker auf. Denn
hier steht ein einzigartiges Gotteshaus: die Doppelkirche St.
Sebastian, eines der bedeutendsten Monumente romanisch-
staufischer Baukunst, geweiht
1151. Zwei Kirchen sind überein-
andergebaut und durch eine achteckige Öffnung unter der Kup-
pel miteinander verbunden. Und
beide Räume sind mit kostbaren
Fresken geschmückt, die ihres-
gleichen im ganzen Rheinland
nicht kennen.

27

△ Markt vor dem Bonner Rathaus

Die Redoute in Bad Godesberg ▽

Vor Beethovens Geburtshaus in Bonn ▽

28

△ Sitz des Bundespräsidenten: Villa Hammerschmidt

△ Bundestagsdebatte im Bundeshaus

Einen weiten Rundblick hat man von der Ruine Godesburg ▽

Bonn und Godesberg bewahren ihr Eigenleben

Bonn-Bad Godesberg – ob der amtliche Doppelname Balsam auf die Wunden der eingemeindeten Godesberger ist? Groß-Bonn jedenfalls ist noch eine Vision, denn sowohl Alt-Bonn als auch Alt-Bad Godesberg führen weiterhin ein ausgeprägtes Eigenleben. Das Regierungsviertel liegt dazwischen, und selbst die zum Park umgestaltete Rheinaue trennt die beiden Alt-Städte mehr, als es den Anschein hat. Aber was macht es, ihr Charme läßt manchen Spötter verstummen, und ihre Traditionen auch.

Von der Freitreppe des Bonner Rathauses hielt 1848 der Freiheitskämpfer und Dichter Gottfried Kinkel eine seiner revolutionären Reden, und ein Jahrhundert später wandte sich von hier aus Theodor Heuß, der erste deutsche Bundespräsident, zum ersten Male ans deutsche Volk. Er residierte, wie seine Nachfolger auch, in der vornehmen Villa Hammerschmidt, einem großbürgerlichen Nobelbau aus dem 19. Jahrhundert am Rheinufer, unweit des Bundeshauses. Und während seiner Präsidentschaft war die deutsche Olympia-Hymne die Ode ›An die Freude‹ aus Beethovens Neunter Symphonie. Beethoven hat seine Vaterstadt schon mit 22 Jahren endgültig verlassen, und wahrscheinlich hat ihn die Begegnung mit Joseph Haydn, 1792 in der Godesberger Redoute, dabei beeinflußt. Denn im selben Jahr noch zog er nach Wien, um Haydns Schüler zu werden.

Vom Rhein an die Donau – aber auch die Gegenrichtung ist denkbar. Der letzte Kölner Kurfürst war ein Habsburger, und etliche seiner Vorgänger waren Wittelsbacher. Aus dem Süden kamen auch kriegerische Reisende, wovon die Ruine der Godesburg Zeugnis ablegt: 1583 legten die Bayern im Kölnischen Krieg den Lieblingssitz der Kölner Kurfürsten bis auf den Bergfried in Schutt und Asche.

Klosterruine Heisterbach ▽   Efeuumrankte Tür am Petersberg ▽

△ Sommer-   ...und Winterfreuden am Drachenfels▽

Der Rhein von oben: Drachenfels und Petersberg

Welch ein Panorama! Der sagenumwobene Drachenfels mit der Burgruine, die an das schon im 16. Jahrhundert erloschene Geschlecht der Grafen von Drachenfels erinnert. Auf halber Höhe liegt Schloß Drachenburg, mit der sich im 19. Jahrhundert ein reicher Mann einen romantischen Traum erfüllte. Und im Hintergrund der Petersberg mit dem 1905 erbauten Luxus-Hotel, das der Bund 1979 für 17,36 Millionen Mark von einem Kölnisch-Wasser-Fabrikanten erwarb, um es in ein Gästehaus für Staatsbesucher zu verwandeln. Und so werden denn auf einem der Sieben Berge die Großen der Welt einkehren. Freilich steht zu befürchten, daß sie angesichts der Sicherheitsvorkehrungen kaum die atemraubende Landschaft wahrnehmen werden. Da haben es die Normalsterblichen doch wahrhaft besser; sie können sich im Naturpark Siebengebirge, dem ältesten in Deutschland, nach Herzenslust tummeln. Und wenn es bei der Bonner Absichtserklärung bleibt, dann dürfen sie sogar weiterhin auf den Petersberg, um bei einem wahrscheinlich nicht billigen Kännchen Kaffee auf den Schicksalsstrom der Deutschen hinabschauen zu können. Aber das läßt sich auch vom Terrassenlokal unterhalb des Drachenfelsgipfels bewerkstelligen.

Über die Vergänglichkeit alles Irdischen sinnieren kann man vor den Ruinen der Zisterzienser-Abtei Heisterbach. Ein Mönch von Heisterbach, so erzählt es die Sage, hatte daran gezweifelt, daß vor Gott hundert Jahre wie ein Tag seien – bis er, von einem vermeintlich kurzen Spaziergang zurückgekehrt, sich mit Menschen konfrontiert sah, die sich seiner nur aus den Erzählungen der Vorväter erinnerten. Und da wurde sein Haar schneeweiß wie die Blüten im Frühling.

△ Blick auf Drachenfels und Petersberg

Obstbäume bei Meckenheim ▽

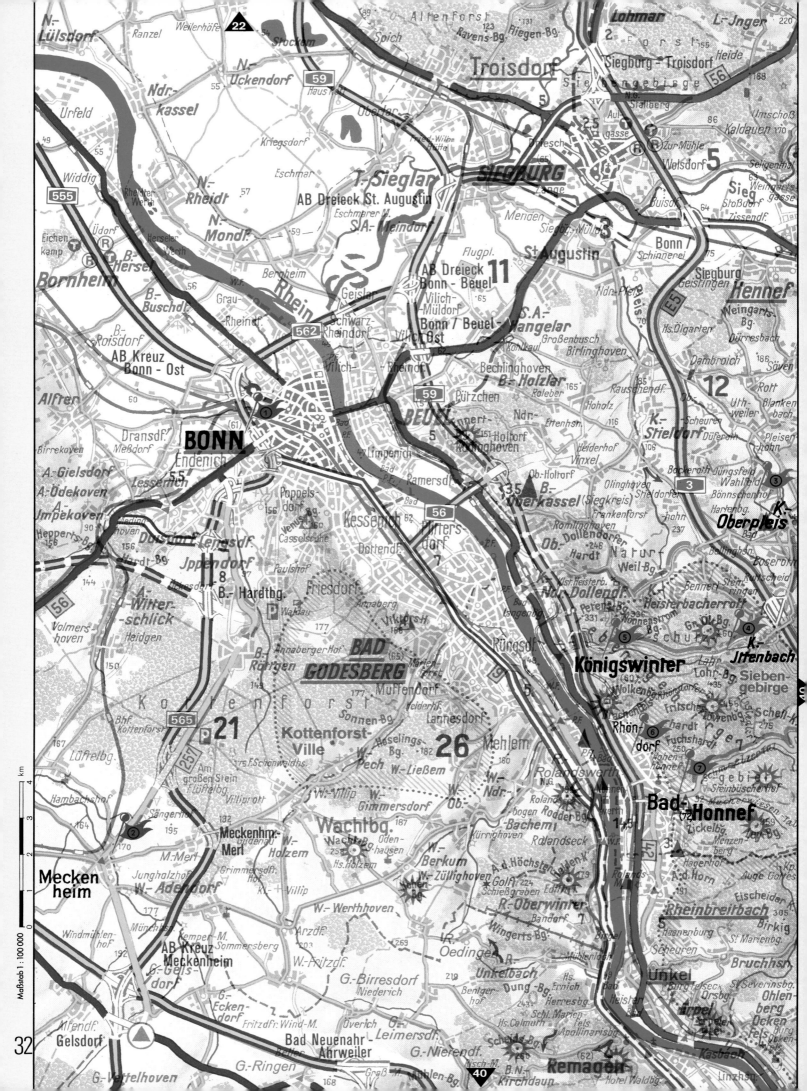

Wo gibt es was?

Fähnchennummer = Textnummer

Bonn ①

Da aus vorrömischer Zeit keine gesicherten Daten vorliegen, ist das Jahr 12 v. Chr. das Gründungsdatum Bonns. Damals legte hier der Feldherr Drusus eines der 50 Kastelle zur Sicherung der Rheinlinie an. Um 400 besetzten die Franken die Siedlung, die sich vergrößerte und im 13. Jh. Stadtrechte erhielt. Aus der ehemaligen Residenzstadt der Kölner Kurfürsten und Erzbischöfe wurde in preußischer Zeit (ab 1815) eine vornehme Universitätsstadt.

Im Wettstreit mit Frankfurt wurde Bonn 1949 zu Bundeshauptstadt gewählt. Im Regierungsviertel mit Bundeshaus, Palais Schaumburg (Bundeskanzler) und Villa Hammerschmidt (Bundespräsident) setzen repräsentative Neubauten wie Bundeskanzleramt, Abgeordnetenhaus ›Langer Eugen‹, Ministerien, Parteizentralen zunehmend architektonische Akzente. Dagegen wird Alt-Bonn, vom neuen Rathaus einmal abgesehen, von dem mächtigen romanischen Münster (11.–13. Jh.) mit seinem 92 m hohen Vierungsturm geprägt, ferner vom weitläufigen Poppelsdorfer Schloß mit dem Hofgarten (1715–30 als Residenz für den Kölner Kurfürsten erbaut, heute Teil der Universität), von der Universität (wiederaufgebautes Rokoko-Schloß) und vom Alten Rathaus (1738) mit seiner Rokofreitreppe. Am Rhein liegen das moderne Stadttheater und die Beethovenhalle. Das Geburtshaus Beethovens (1770–1827) ist in der Bonngasse 20 zu besichtigen. Besuchenswert ist auch das Rheinische Landesmuseum (Colmantstraße), das neben Sammlungen aus vorgeschichtlicher, römischer und fränkischer Zeit sowie vielen Kunstgegenständen auch den Schädel des Neandertalers zeigt. Das Zoologische Museum Alexander Koenig (Adenauerallee) gilt als größtes Tiermuseum Europas. Im Briefmarkenmuseum im Postministerium (Adenauerallee) ist eine der vollständigsten Kollektionen der Welt zu sehen. Schließlich sei das Städtische Kunstmuseum (Rathausgasse) mit moderner Kunst erwähnt.

Im Stadtteil *Bad Godesberg,* den die Ruine der Godesburg (1583 zerstört, exklusives Restaurant) mit ihrem 32 m hohen Bergfried überragt, liegt die Redoute, ein anmutiges Rokoko-Schlößchen, in dem Regierung und Botschaften glanzvolle Empfänge geben. Trotz aller Politik und Diplomatie: Bad Godesberg ist auch Heilbad mit modernen Kureinrichtungen.

Im rechtsrheinischen Stadtteil *Beuel* sollte man unbedingt die aus dem 12. Jh. stammende St. Sebastian-Doppelkirche Schwarz-Rheindorf ansehen. Die zwei übereinander gebauten Kirchen sind durch eine achteckige Öffnung miteinander verbunden (bedeutende Fresken 12. Jh.). In Beuel finden, abgesehen vom Bonner Sommer und dem Beethoven-Fest (alle drei Jahre), die bekanntesten Veranstaltungen statt: die historische Weiberfasnacht im Karneval und Pützchens Jahrmarkt am zweiten September-Sonntag. Berühmt für exklusive Kochkunst ist das »Chez Loup«; urig geht es dagegen im »Em Höttche« (beide Bonn) zu. In Bad Godesberg wird die Küche vom »Wirtshaus St. Michael« sehr gelobt; bekannt für prominente Gäste ist das »Haus Maternus«; gemütlich sitzt man bei »Weinkrüger im Aennchen«.

Von bleibendem Freizeitwert sind die Parkanlagen, die zur Bundesgartenschau 1979 direkt am Rhein angelegt wurden.

Auskunft: Werbe- und Verkehrsamt, Kurfürstenstraße 2–3, 5300 Bonn 2.

Meckenheim ②

Das 1100 Jahre alte Städtchen liegt im Zentrum eines der größten deutschen Anbaugebiete für Edelobst. Meckenheim gehört zum Drachenfelser Ländchen, das nach seinen ehemaligen Territorialherren, den Burggrafen vom Drachenfels, benannt wurde. Zu den vielen verborgenen Kostbarkeiten dieses Landstrichs zählen die Wasserburgen *Gudenau* (16. Jh.) im Naturpark Kottenforst-Ville und *Adendorf* (17. Jh.) sowie Burg *Münchhausen,* deren Kern aus dem 12. Jh. stammt. Ein weiterer lohnender Ausflug führt zum Wallfahrtsort *Lüftelberg* mit romanischer Pfarrkirche und Wasserburg (18. Jh.).

Auskunft: Stadtverwaltung 5309 Meckenheim.

Oberpleis ③

Sehenswert in dem schon seit fränkischer Zeit besiedelten Ort ist die romanische ehemalige Propstei und heutige Pfarrkirche (12. Jh.) mit Teilen der früheren Klosterbauten.

Auskunft: siehe Königswinter.

Ittenbach ④

Der Ort gehörte früher schon einmal zu Königswinter, als beide gemeinsam das kurkölnische Amt Wolkenburg bildeten. Besuchenswert ist das Ordenstrachtenmuseum (Anmeldung im Pfarrhaus).

Auskunft: siehe Königswinter.

Königswinter ⑤

Der Begriff -winter deutet nicht auf rauhes Klima, im Gegenteil: Darin steckt verborgen das lateinische Wort vintorium = Winzerort. Für eine Weinsorte ist der malerisch am Rhein (schöne Promenade) gelegene Ort berühmt: für den Rotwein ›Drachenblut‹, der am Drachenfels gezogen wird. Mit diesem Berg, auf den von Königswinter eine Zahnradbahn führt, ist die Sage vom hürnenen Siegfried verbunden. Die Ruine *Drachenfels* wurde 1836 vor der endgültigen Zerstörung bewahrt. Schloß Drachenburg (19. Jh.) am Nordhang des Drachenfels gelegen, ist ein Zeugnis der großbürgerlichen Rhein-Romantik. Sowohl vom 321 m hohen Drachenfels als auch vom zehn Meter höheren *Petersberg* (das Kurhotel auf dem Gipfel wird Gästehaus der Bundesregierung) hat man eine phantastische Fernsicht.

Königswinter liegt im *Naturpark Siebengebirge,* der ein gut erschlossenes Wandergebiet ist. Tief im Siebengebirge, in *Heisterbachrott,* liegt die sagenumwobene ehemalige Zisterzienserabtei Heisterbach. Erhalten sind die romanische Chorapsis (13. Jh.), die barocken Wirtschaftsgebäude und das wappengeschmückte Torhaus. – Sein Winzerfest feiert Königswinter Anfang Oktober.

Auskunft: Verkehrsamt 5330 Königswinter.

Rhöndorf ⑥

Der erste Kanzler der Bundesrepublik hat den am Fuß des Drachenfelsen gelegenen Ort berühmt gemacht. Konrad Adenauer (1876–1967) liegt auf dem stimmungsvollen Waldfriedhof begraben. Sein Wohnhaus ist nun eine Gedenkstätte und kann, wie der Pavillon, in dem er seine Memoiren schrieb, besichtigt werden.

Auskunft: siehe Bad Honnef.

Bad Honnef ⑦

Seit 1898 sprudelt die Drachenquelle, weitere starke Mineralquellen wurden inzwischen erschlossen. Der Bau der Pfarrkirche St. Johann Baptist wurde im 12. Jh. begonnen. Sehenswert sind die Fachwerkhäuser am Ziepchenplatz und das Landhaus Parzifal. Zu Spaziergängen laden die Rheinpromenade und die Insel *Grafenwerth* ein, auf der sich ein Schwimmbad befindet. Die Nachbarinsel *Nonnenwerth* ist vom linksrheinischen Rolandseck zu erreichen.

Auskunft: Kurverwaltung 5340 Bad Honnef.

Vom Rhein i

Bei Remagen:
Baumblüte im Frühling

das Ahrtal

△ Reste der Remagener Rheinbrücke

Der ehemalige Fronhof in Erpel ▽

Blick durch den Rolandsbogen über den Rhein ▽

△ Remagen: Das spätromanische Pfarrhoftor   Wandmalereien aus dem vorigen Jahrhundert in der St. Apollinariskirche ▽

Die Remagener Brücke ging in die Geschichte ein

So berühmt wie die Arnheimer ist die Brücke von Remagen nicht, aber auch sie war ein Schauplatz der Weltgeschichte. Am 7. März 1945 überschritten die Amerikaner unter Führung des Generals Patton den Rhein und errichteten in Erpel ihren ersten rechtsrheinischen Brückenkopf. Zwar hatte die deutsche Wehrmacht Sprengladungen angebracht, aber nicht in ausreichender Menge. Nachdem Pattons Soldaten das andere Ufer erreicht hatten, stürzte die Brücke infolge Überlastung dennoch ein. Die während des Ersten Weltkriegs aus strategischen Gründen errichtete Eisenbahnbrücke wurde nach dem Zweiten nicht wiederaufgebaut. Es stehen nur noch die rußgeschwärzten Brückentürme an den Ufern.

Der alte Weinort Erpel präsentiert heute seine schönen Fachwerkhäuser, als ob es keinen Krieg gegeben hätte. Die ›Herrlichkeit‹ des Fronhofs weist auf das Mittelalter hin: Der Mittelpunkt eines größeren Besitzes war nämlich der Fronhof, auf dem der Herr oder sein Verwalter lebte und dem die Pächter den Zins bringen mußten.

Daß beim Neubau der Remagener Pfarrkirche Reste einer romanischen Kirche einbezogen und das alte Pfarrhofportal erhalten wurde, ist auch aus heutiger Sicht verständlich. Aber daß die danach zum Remagener Wahrzeichen erkorene Apollinariskirche auf dem Apollinarisberg in so dünnblütiger Neugotik erbaut wurde, verwundert den Betrachter. War doch ihr Erbauer der damalige Kölner Dombaumeister Zwirner, der sogar Reststeine des Kölner Doms verwendete. Die Fresken im Innern sind ein anschauliches Beispiel für die Malweise der Düsseldorfer Nazarenerschule. Dagegen hat der wuchernde Efeu der künstlichen Ruine des Rolandsbogens alle Künstlichkeit genommen.

△ Linz: In den engen Gassen muß man nicht suchen,...

...um hübsche Fachwerkdetails zu sehen ▽

△ Steile Felsterrassen im Ahrtal ▽

38

Hier wird vor allem Rotwein angebaut ▽

›Bunte Stadt‹ Linz und roter Wein im Ahrtal

Ein Fachwerk-Idyll, das immer wieder entzückt. Gewiß, wird wahrscheinlich mancher sagen, aber wenn bloß die vielen Menschen nicht wären! Doch damit muß man sich am Rhein abfinden, zumal in der Saison. Und Linz, die ›Bunte Stadt‹ mit ihren in vielen Farben leuchtenden Fachwerkhäusern aus drei Jahrhunderten, macht dabei keine Ausnahme. Besonders groß ist der Trubel zur Weinlesezeit im Herbst. Ein weiteres Ziel ist ein Seitental des Rheins, das reizvolle untere und mittlere Tal der Ahr, das zweitkleinste deutsche Weinanbaugebiet. Während am Rhein überwiegend der weiße Riesling gezogen wird – die Linzer Lage heißt Rheinhöller –, ist das Ahrtal die Heimat samtiger, rubinroter Weine, die so schöne Namen wie Blauer Portugieser oder Blauer Spät- und Frühburgunder tragen. Sie haben zwar nur einen zwei- bis dreiprozentigen Anteil an der deutschen Rotweinernte, genießen aber einen um so höheren Rang bei Kennern und Liebhabern. Zwischen Heimersheim, heute ein Stadtteil von Bad Neuenahr-Ahrweiler, und Altenahr liegen elf Winzerorte, darunter so berühmte wie Walporzheim oder Maischoß mit so bekannten Lagen wie Himmelchen und Gärkammer oder Möchberg und Schieferley. Heute gelten Dreiviertel der Rebfläche als Nebenerwerbsbetriebe, aber früher war der Weinbau die Haupteinnahmequelle. So heißt es in einem Protokoll des Ahrweiler Rates aus dem Jahre 1602, daß der Weinbau ›hiesiger Gegend führnehmste Nahrung ist, die unablässig gehalten werden muß‹. Der vulkanische Boden läßt nicht nur Reben gedeihen, aus seinen Tiefen quellen auch heilkräftige Wasser wie der Willibrordus-Sprudel, dessen Entdeckung 1861 einem bis dato unscheinbaren Ort zu Ruhm und Nutzen gereichte: Bad Neuenahr.

Das schöne Kurhaus in Bad Neuenahr ▽

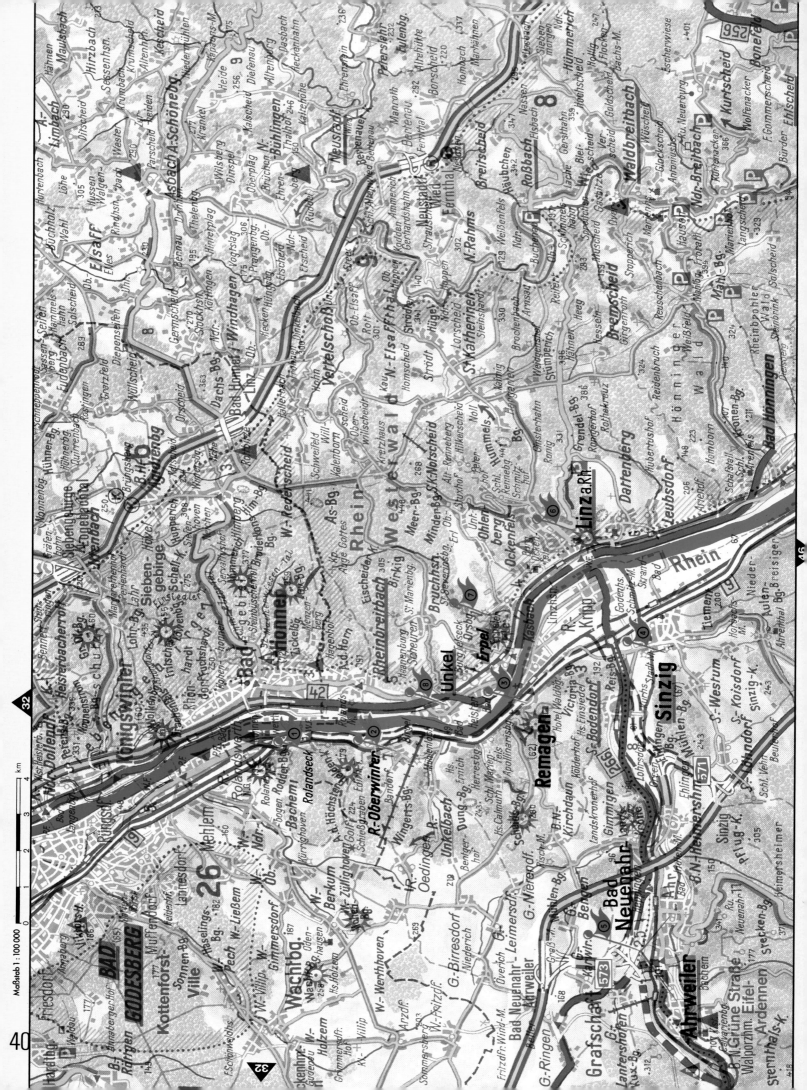

Wo gibt es was?

Rolandseck ①

Unterhalb des Rodderberges, eines Vulkankegels, steht der im 19. Jh. aus den Trümmern einer Burg erbaute Rolandsbogen. Vom nahen Wirtshaus bietet sich ein herrlicher Blick ins Rheintal und auf die Insel Nonnenwerth mit dem Kloster (12. Jh., heute ein Pensionat). Im Ort liegt erhöht der ›Künstlerbahnhof‹, ein von der Bundesbahn aufgegebenes Gebäude mit repräsentativen Räumen. Hier finden nun Konzerte, Autorenlesungen und Ausstellungen statt.
Auskunft: siehe Remagen.

Oberwinter ②

Von der Ortsbefestigung sind nur noch Reste erhalten, doch gibt es einige guterhaltener Stein- und Fachwerkhäuser (16.–18. Jh.). In der Nähe liegt die Auffahrt zu Schloß Ernich, wo der französische Botschafter residiert.
Auskunft: siehe Remagen.

Remagen ③

An die strategisch einst so wichtige Eisenbahnbrücke, über die im Frühjahr 1945 die ersten amerikanischen Truppen stießen, erinnern nur noch Brückenreste am Ufer. Wahrzeichen ist die neugotische Apollinariskirche (1843) auf dem Apollinarisberg, wo früher eine Kapelle zum Gedenken des Heiligen stand. Die katholische Pfarrkirche St. Peter und Paul in der Stadt ist ein Neubau von der Jahrhundertwende, der Teile der romanischen Vorgängerkirche einbezogen hat. Die ehemalige Kapelle der Abtei Knechtsteden ist heute ein Heimatmuseum (Funde aus römischer Zeit).
Ende Juli findet in Remagen die Apollinariswallfahrt mit dem Jakobsmarkt statt, am zweiten Septemberwochenende ein großes Weinfest.
Auskunft: Verkehrsamt 5480 Remagen.

Sinzig ④

Die fruchtbare ›Goldene Meile‹ an der Mündung der Ahr war schon in keltischer Zeit besiedelt. Auch die Römer waren hier, Töpfereien und Ziegeleien sind nachweisbar. Der Ort war später eine fränkische Pfalz und wurde im 12. Jh. zweimal zerstört. In der sehenswerten spätromanischen Petrikirche (13. Jh.) kann man Ausmalungen aus dem 13. Jh. bewundern. Schloß Sinzig (Heimatmuseum) wurde im vorigen Jh. auf den Grundmauern einer alten Wasserburg erbaut. Schloß Ahrental entstand im 18. und 19. Jh. Der Stadtteil Bad Bodendorf ist ein Winzerdorf mit stattlichen Fachwerkhäusern; jenseits der Ahr liegen die Kuranlagen. – Kirmes wird im August gefeiert.
Auskunft: Verkehrsamt 5485 Sinzig–Bad Bodendorf.

Bad Neuenahr-Ahrweiler ⑤

Die durch die Verwaltungsreform entstandene Doppelstadt zeigt zwei Gesichter: ein vornehm-weitläufiges und ein romantisch-verwinkeltes. Der Mittelpunkt Bad Neuenahrs, das erst 1861 mit der Entdeckung des Willibrordus-Sprudels zur Stadt erhoben wurde, ist der Kurbezirk an der Ahr: mit dem Anfang dieses Jahrhunderts erbauten Kurhaus im Jugendstil (u. a. Festsäle, Kleinkunstbühne, Spielcasino), Thermalbadehaus und gepflegtem Park. Die Willibrorduskirche von 1726 im Ortszentrum hat einen romanischen Kirchturm. Im barocken Beethovenhaus verlebte der Komponist in den Jahren 1786–92 die Sommermonate. Die spätromanische Pfarrkirche im Stadtteil Heimersheim hat sehenswerte Glasmalereien (13. Jh.). Auch der ehemalige Zehnthof ist sehenswert.
Flußaufwärts von Bad Neuenahr liegt das bereits 893 erwähnte, doch schon von den Römern besiedelte Ahrweiler. Später war es neben Neuß, Bonn und Andernach eine der Hauptstädte von Kurköln. 1689 brannten es französische Truppen fast vollständig nieder. Nach Zerstörungen im Zweiten Weltkrieg ist der ovale Ring der Stadtmauer (13., 14. und 17. Jh.) komplett wiederhergestellt; die vier mächtigen Tore weisen in die Himmelsrichtungen. Sehenswert in der Altstadt sind die gotische Hallenkirche St. Laurentius (Ausmalungen 14. und 15. Jh., reiche Innenausstattung) mit ihrem Pfarrhaus aus dem 18. Jh., das im Spätrokokostil erbaute Alte Rathaus (heute Drogerie) und schöne Fachwerkhäuser, deren Erker von figurengeschnitzten Balken gestützt werden. Im größten geschlossenen Rotweingebiet Deutschlands dürfen Weinfeste natürlich nicht fehlen: am ersten Juli-Sonntag in Bachem, am zweiten August-Sonntag in Walporzheim und am ersten September-Sonntag in Ahrweiler. – In Walporzheim ißt man gut im alten Weingut »St. Peter«.
Auskunft: Kur- und Verkehrsverein 5483 Bad Neuenahr-Ahrweiler.

Linz ⑥

Zur besseren Unterscheidung von der gleichnamigen Donaustadt hängt sich Linz gern ein ›am Rhein‹ an. Und den Beinamen ›Bunte Stadt‹ verdankt es den farbenfroh bemalten Fachwerkhäusern aus dem 15., 16 und 17. Jh. Nur wenige deutsche Städte haben noch einen so reichen Bestand an gut erhaltenen alten Wohnhäusern. Die schöne Pfarrkirche St. Martin (13. Jh., bedeutendes Altargerät) sowie der Altaraufsatz (15. Jh.) in der neuen Pfarrkirche verdienen Beachtung. Zwei Tore und ein Mauerstück erinnern an die mittelalterliche Stadtbefestigung. Vom Kaiserberg mit einer gotischen Wallfahrtskapelle geht der Blick über Rhein- und Ahrtal hinüber zur Eifel und zum Hunsrück.
Linzer Wein wird beim Winzerfest am zweiten Wochenende im September ausgeschenkt. Zwei Wochen vor Pfingsten findet die ›Bunte Woche‹ statt.
Auskunft: Städtisches Verkehrsamt 5460 Linz am Rhein.

Erpel ⑦

Der alte Weinort am Rhein und am Fuße der Erpeler Ley, eines rund 200 m hohen Basaltkegels, war einst der südlichste Ort des Kölner Erzstiftes. Sehenswert sind der Marktplatz mit seinen Fachwerkhäusern (17., 18. Jh.), das barocke Rathaus, der ehemalige Fronhof und die Reste der Stadtbefestigung. Wie nur noch wenige Orte am Rhein, bietet Erpel ein recht geschlossenes Ortsbild. Das Hochplateau der Erpeler Ley ist zum Naturschutzgebiet erklärt worden, und der Gedenkstein beim Aussichtspunkt erinnert an die erste Luftschiffahrt des Grafen Zeppelin von Frankfurt nach Köln, den ein Gewittersturm über Erpel zur Umkehr zwang. – Das Weinfest findet Mitte September und Kirmes Ende Juni sowie Ende Oktober statt.
Auskunft: Verkehrsverein 5465 Erpel.

Unkel ⑧

Schön sind die alten Gassen mit ihren Fachwerkhäusern, die oft breite Toreinfahrten haben. Es gibt auch einige stattliche Herrenhäuser. Sehenswert ist die gotische Pfarrkirche wegen ihrer besonders reichhaltigen Ausstattung. Der Gefängnisturm ist ein Teil der Wehrmauer. Zu Spaziergängen mit Blick auf den Strom lädt die für den Verkehr gesperrte Promenade ein. – Wie in vielen rheinischen Orten lebt hier ein alter Brauch weiter: In der Nacht zum 1. Mai stellen die Burschen eine frisch begrünte Birke vor das Haus ihrer Angebeteten. – Beim Essen einen schönen Ausblick genießen kann man im »Rheinhotel Schulz«.
Auskunft: Verkehrsamt 5463 Unkel.

S. 42/43

Gute Laune
beim Weinfest in Leutesdorf

der Becken

△ Das alte Rathaus in Engers

Schloß Neuwied ▽

△ Bis 1911 war der Rheinkran in Andernach in Betrieb

Klostergebäude der Abtei Rommersdorf ▽

Weinlese... ▽

44

...und Weinfest in Leutesdorf ▽

Fleißige Städte: Leutesdorf, Andernach, Neuwied

An den Westerwald-Hängen über Leutesdorf wachsen seit zwei Jahrtausenden die Reben. Als so alt gilt auch das Weindorf, selbst wenn es sich im mittelalterlichen Gewand präsentiert. Seine Wallfahrtskirche ist vielbesucht, und seine Weinfeste (S. 42/43) sind es auch, denn den Katzensprung über den Rhein scheuen nur wenige. Herüben nämlich, an den Ausläufern der Eifel bei Andernach, gedeiht kein Wein, jedoch an Alter kann es die Römerstadt mit Leutesdorf durchaus aufnehmen. Und wenn der Fels auch keinen Rebstock trägt, so dient er immerhin als Baumaterial, das per Schiff stromauf und vor allem stromab schwamm. Bis 1911 war der ›Alte Krahnen‹ in Betrieb. Der massige Rundbau von 1559 steht als Andernacher Wahrzeichen am Rheinufer und ist Beweis dafür, daß im Neuwieder Becken andere Traditionen gelten.

Denn nach Andernach und Leutesdorf gewinnt die Landschaft Weite, zeigt der Rhein ein Alltagsgesicht. Die beiden Großbrauereien haben Weißenthurm den Beinamen ›Bierstadt am Rhein‹ eingebracht, was ohne Zweifel hübscher klingt als Bimsstadt am Rhein. Dennoch ist die Uferpromenade reizvoll, weil von hier aus das rechtsrheinische Barockschloß Engers sich von seiner schönsten, nämlich seiner Wasserseite zeigt, was man von Neuwied nicht behaupten kann. Eine Hochwasserschutzmauer riegelt Stadt und Schloß vom Rhein ab. Im Schloß residiert immer noch das Fürstengeschlecht Wied, dem die Stadt ihre Existenz verdankt: Graf Friedrich vertauschte Mitte des 17. Jahrhunderts Altmit Neuwied, das vielen Glaubensflüchtlingen zur neuen Heimat wurde. Neuwied blühte auf, die Burg Altwied im Westerwald verfiel, und die große Zeit des Klosters Rommersdorf war ebenfalls vorbei.

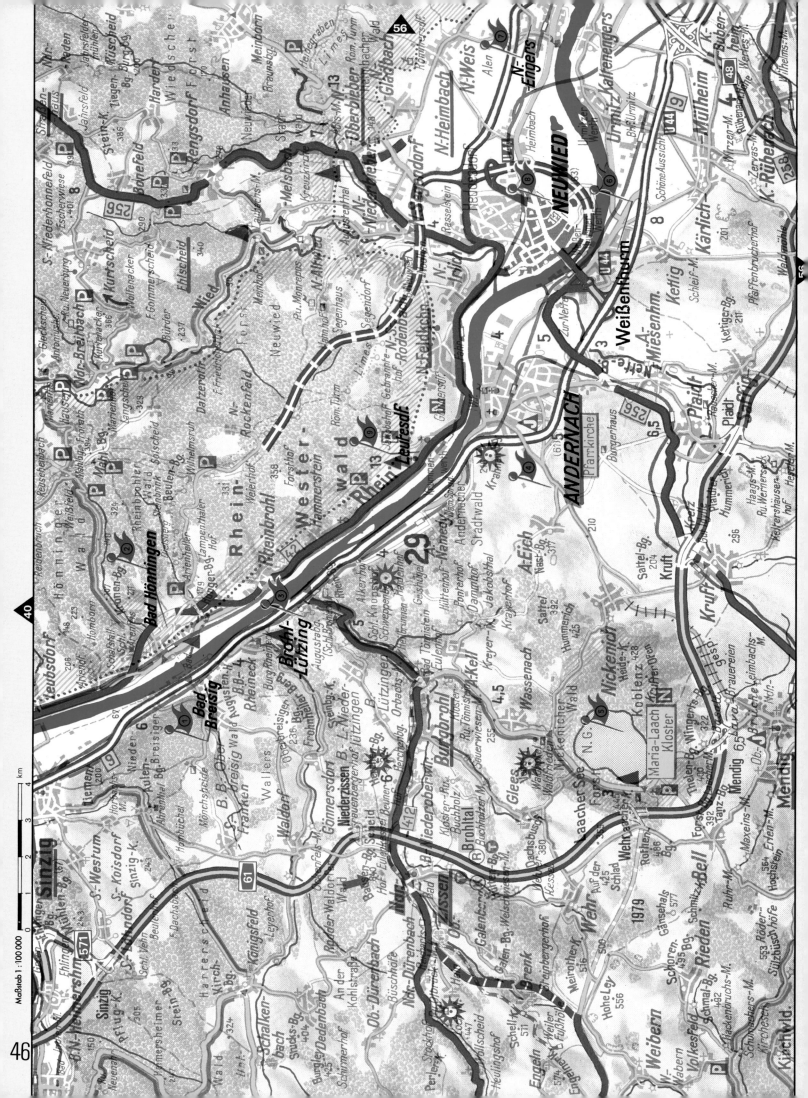

Wo gibt es was?

Fähnchennummer = Textnummer

Bad Breisig ①

Am Vinxtbach, der Grenze zwischen den Provinzen Ober- und Niedergermanien, stand das römische Kastell Brisiacum. Auf einem Felssporn über dem Strom erhebt sich Burg *Rheineck* (12. Jh.), die nach der Zerstörung 1689 im 19. Jh. wiederaufgebaut wurde. Zur Berggaststätte (schöner Ausblick) führt eine Sesselbahn. Der Kurpark des Heilbads mit drei Thermalquellen zieht sich fast bis zum Rhein hin; in der Nähe liegen der Templerhof (17. Jh.) und ein altes Zollhaus. Im Ortsteil Oberbreisig sind in der St. Viktorkirche (13. Jh.) schöne Ausmalungen zu bewundern. – Im September wird das Zwiebelfest gefeiert.
Auskunft: Verkehrsamt 5484 Bad Breisig.

Bad Hönningen ②

Das Thermalheilbad mit dem größten deutschen Kohlensäurevorkommen liegt geschützt zwischen Rebbergen und lädt am letzten Mai- bzw. ersten Juni-Wochenende zum Weinblütenfest ein. Sehenswert sind einige ehemalige Klosterhöfe. In der Nähe liegt die Burg *Arenfels* (13. Jh.), die im 19. Jh. neugotisch umgebaut wurde; ein weitläufiger Park gehört dazu.
Stromaufwärts liegt der zu Bad Hönningen gehörende ›Weinort am Römerwall‹, *Rheinbrohl*. Hier begann der vom Rhein zur Donau führende Limes, der Grenzwall der Römer, der durch zahlreiche Kastelle und Türme gesichert war. Der (rekonstruierte) Römerturm Nr. 1 steht nahe dem Rheinufer. Rheinbrohl besitzt die größte Schiffswerft am Mittelrhein und feiert am ersten Oktobersonntag ein Weinfest. Rheinbrohl ist ebenso wie Bad Hönningen ein Ausgangspunkt für Ausflüge in den *Naturpark Rhein-Westerwald*.
Auskunft: Verkehrsamt und Kurverwaltung 5842 Bad Hönningen.

Brohl-Lützing ③

Burg *Brohleck* bewacht den Eingang zum geologisch hochinteressanten Brohltal, in dem die *Schweppenburg* (17. Jh.) liegt und das hinauf zum Laacher See führt. In *Burgbrohl* ist die ehemalige Propstei des Benediktinerklosters (12. Jh.) sehenswert. Seit der Römerzeit bekannt ist *Bad Tönnisstein;* in der Nähe war – inmitten herrlicher Wälder – die Sommerresidenz der Kölner Erzbischöfe.
Auskunft: Verbandsgemeinde Brohltal, 5471 Niederzissen.

Andernach ④

Von den Prachtbauten der Römerstadt ist nur noch ein kärglicher Rest der Umwallung zu sehen, und zwar beim Runden Turm. Dieser mächtige Turm (56 m hoch, um 1450 erbaut) der mittelalterlichen Stadtbefestigung, zu der auch Rheintor und Burgtor gehören, ist ein Wahrzeichen der Stadt. Der Alte Krahnen (1559) am Rheinufer hat noch ein intaktes Antriebswerk. Die viertürmige Marienkirche (12./13. Jh.), mit sehenswerten Fresken ausgeschmückt, gilt als eine der schönsten romanischen Kirchen des Rheinlands. Besichtigenswert ist auch die ehemalige Minoritenkirche St. Nikolaus (13.–15. Jh.). Das Rathaus stammt aus dem 16. Jh., und im barocken Hof von der Leyen (16. Jh.) ist das Stadtmuseum untergebracht. Von der ehemaligen erzbischöflichen Stadtburg sind nur noch Ruinen erhalten. Im Stadtteil *Namedy* sind die St. Bartholomäus-Kirche (frühgotisch, um 1520 umgebaut) und eine mehrfach (zuletzt um die Jahrhundertwende) umgebaute und erweiterte Schloßburg sehenswert. – Im Juni feiert Andernach das Bäckerjungenfest (so nach einer Wehranlage benannt) und Anfang September das Fest der Tausend Lichter.
Auskunft: Verkehrsamt 5470 Andernach.

Laacher See ⑤

Ein Abstecher in die Eifel mit ihren erkalteten Vulkankegeln ist überaus lohnend. Der Laacher See ist eines der schönsten und vor allem das größte aller Eifel-Maare (Maar bedeutet Kratersee): 1,9 km breit, 2,3 km lang, an seiner tiefsten Stelle mißt es 53 m. Zu dieser natürlichen, unter Schutz gestellten Sehenswürdigkeit gesellt sich eine künstlerische allerersten Ranges: die 1093 gegründete Benediktinerabtei Maria Laach. Der lateinische Name Sancta Maria ad lacum erklärt den deutschen: lacum heißt See, und daraus wurde Laach. Die Abteikirche (12./13. Jh.) ist ein Meisterwerk romanischer Architektur in Deutschland.
Auskunft: Verbandsgemeinde Brohltal, 5471 Niederzissen.

Weißenthurm ⑥

Nicht der weiße Turm der Pfarrkirche (im Innern Fresken) hat dem Industrieort den Namen gegeben, sondern ein Grenzturm zwischen Kurköln und Kurtrier. Vier Kilometer stromauf, bei *Urmitz,* liegt ein historisch bedeutender Platz: Hier ließ Julius Caesar im Jahre 55 v. Chr. eine Holzbrücke über den Rhein schlagen. Den Brückenbau und die Strafexpedition gegen die Germanen im Westerwald beschrieb er in seinem ›Gallischen Krieg‹. Ein Beispiel moderner Brückenbaukunst ist die Straßenbrücke zwischen Weißenthurm und Neuwied.
Auskunft: Verkehrsverein 5452 Weißenthurm.

Engers ⑦

Der römisch-deutsche Kaiser Karl IV. verlieh Engers 1357 die Stadtrechte; seit der Verwaltungsreform ist Engers ein Stadtteil von Neuwied. Mit der Schaufront zum Rhein wurde hier im 18. Jh. für den Trierer Kurfürsten ein Schloß erbaut (heute Klinik), dessen Ehrenhof und ehemaliger Festsaal prächtiges Barock sind. Das Rathaus, hübsche Fachwerkhäuser, Reste der Stadtbefestigung und Rheinpromenade machen einen Besuch lohnend.
Auskunft: siehe Neuwied.

Neuwied ⑧

Die Gegend war schon zu römischer und später zu fränkischer Zeit besiedelt. Doch erst 1648, als Graf Friedrich von Wied seine Residenz an den Rhein verlegte, beginnt die Geschichte der Stadt. Er versprach Religionsfreiheit, und so kamen tüchtige Siedler. Die streng symmetrische, sehr sehenswerte Stadtanlage ist gegen den Rhein durch eine Hochwassermauer mit Sperrtoren geschützt. Am Rand der Stadt und des großen Schloßparks liegt die Anfang des 18. Jhs. erbaute Residenz der Fürsten zu Wied.
Zwei Ausflüge in den *Naturpark Rhein-Westerwald* führen zur romantischen Burgruine *Altwied* und zum Kloster *Rommersdorf* (u. a. romanische Abtskapelle, Pfeilerbasilika, Teil des Kreuzganges, seltener Fliesen-Fußboden). Mit Neuwied ist ein berühmter Name verbunden: Friedrich Wilhelm Raiffeisen (1818–1888), der Vater des deutschen Genossenschaftswesens, hat als Bürgermeister von Heddesdorf bei Neuwied seine Gedanken in die Tat umgesetzt.
Auskunft: Städtisches Verkehrsamt 5450 Neuwied.

Leutesdorf ⑨

Der alte Winzerort mit schönen Fachwerk- und Hofhäusern sowie der Kreuzkirche (17. Jh. bedeutende Innenausstattung) feiert gern: im Mai das Weinfrühlingsfest, im August Kirmes und im September das Weinfest.
Auskunft: siehe Bad Hönningen.

Wo Lahn und

Mosel fließen

△ Die Insel Niederwerth ist bekannt für ihre Gemüsekulturen

△ Fröhlicher Rheinbummel per Schiff

Im vorigen Jahrhundert wieder aufgebaut: Burg Stolzenfels ▽

△ Kaffeepause am Plan, im Herzen von Koblenz.

Wenn im August ›Der Rhein in Flammen‹ steht, dann ist nicht etwa ein Krieg aus-, sondern nur ein Touristenspektakel angebrochen. Die Erbfeindschaft zwischen Deutschen und Franzosen ist ja längst begraben, und daher hat auch der Festungsklotz Ehrenbreitstein (S. 48/49) als Wacht am Rhein ausgedient. Das seit Kriegsende kahle ›Deutsche Eck‹ an der Moselmündung jagt auch keinem mehr vaterländische Schauer über den Rücken; vor allem wenn man bedenkt, daß der Name vom Deutschherrenhaus kommt und daß das Denkmal auf einer im Volksmund ›Hundsschwanz‹ genannten Sandinsel erbaut ist. Nein, Koblenz knüpft trotz Bundeswehr nicht an seine militärischen Traditionen an – die freilich auf die Römer zurückgehen –, sondern an seine kulturellen. Die Stadt, die ihre alten Bauwerke liebevoll herausgeputzt hat, gibt sich bewußt zivil und leger und empfiehlt sich den Touristen. Auch das hat Tradition, dem ein Koblenzer Buchhändler namens Baedeker hatte einst die ersten deutschen Reisehandbücher herausgebracht. Und für Rheinreisende liegt Koblenz ideal: Nirgendwo ist das Rheintal so grandios wie zwischen Koblenz und Bingen. Unterhalb von Koblenz ist die Landschaft noch weit, liegen Inseln wie Niederwerth im breit dahinfließenden Strom, aber oberhalb der Mosel-Mündung wird das Tal enger, beginnt der romantischste Rheinabschnitt.

Aber Vorsicht: Nicht alles, was altehrwürdig aussieht, ist es auch. Dafür gibt Schloß Stolzenfels ein treffendes Beispiel ab. Die 1689 zerstörte Burg blieb eine Ruine, bis sie die Stadt Koblenz dem Preußenkönig Friedrich-Wilhelm IV. schenkte. Und der ließ sie durch seinen Hofbaumeister Karl Friedrich von Schinkel in ein Märchenschloß verwandeln.

△ An der Lahn liegen das malerische Dausenau... ...und das elegante Bad Ems ▽

Von 1204 datiert der wertvolle Reliquienschrein der ehemaligen Prämonstratenserabtei in Sayn bei Bendorf ▽ △ Auf dem Golfplatz von Bad Ems

Als Bismarck aus Bad Ems eine Depesche schickte

Wieder einmal muß die Weltgeschichte bemüht werden, und der Ort des Geschehens heißt Bad Ems. Hier, im damals mondänen Kurort an der Lahn, fand am 13. Juli 1870 zwischen dem französischen Gesandten Benedetti und dem preußischen König, dem späteren deutschen Kaiser Wilhelm I., eine folgenschwere Unterredung statt. Es ging um die Kandidatur eines Hohenzollern für den spanischen Thron. Den Inhalt dieses Gesprächs gab der nachmalige Reichskanzler Bismarck in einer verkürzten und verschärften Fassung weiter, der sogenannten ›Emser Depesche‹, die zum Ausbruch des lang erwarteten und von beiden Lagern vorbereiteten Deutsch-Französischen Krieges von 1870/71 führte, an dessen Ende die deutsche Einigung stand. Im Kurpark erinnern ein Kaiser-Wilhelm-Denkmal und der Benedetti-Stein an den Tag, als Bad Ems Geschichte machte.

Ein paar Kilometer lahnaufwärts, in Dausenau, scheint die Zeit stillzustehen. Der tausendjährige Ort, dessen Wehrmauer sich im Fluß spiegelt, war einmal eine Freie Reichsstadt, lang ist's her. Vergangen ist auch die Fürstenherrlichkeit der Nassauer oder derer von Sayn-Wittgenstein. Sie residierten zwar in ihrem Renaissance-Schloß Friedewald im Westerwald, aber der Stammsitz des Sayner Grafengeschlechts war Burg Sayn, erbaut im Jahre 1152. Sie steht längst als Ruine da, so wie auch das 1689 zerstörte Schloß. Der Ort gehört inzwischen zur Stadt Bendorf am Rhein, aber ein Abstecher ins Sayntal lohnt dennoch. Nicht nur wegen der ehemaligen Prämonstratenser-Abtei, sondern vor allem um eines technischen Denkmals willen: der Gießhalle der Sayner Eisenhütte. Diese kühne Konstruktion von 1830 steht am Beginn einer neuen Epoche – des Industriezeitalters.

Die alte Gießhütte in Bendorf: Erinnerung an die Frühzeit der Technik ▽

53

△ Boote und Schiffe aller Art sieht man auf dem Rhein: Ein schöner, alter Kutter...

...ein modernes Binnenschiff ▽

△ Freizeit-Amüsement auf dem Raddampfer...

...oder im Motorboot ▽

△ Zu zweit im Schlauchboot...

...oder zu acht im Kanu ▽

Ein schweizer Binnenschiff... ▽

...und für Eilige das Tragflügelboot ▽

Schiffe und Boote aller Art auf dem Rhein

Heidiwitzka, Herr Kapitän . . .‹, dieses aus Köln stammende Lied war einmal genau so populär wie das vom ›Donaudampfschiffahrtsgesellschaftskapitän‹. Was für die Donau die DDSG, ist für den Rhein die KD – die Köln-Düsseldorfer Deutsche Rheinschiffahrt AG. Ihre ›Weiße Flotte‹ beherrscht den Strom nicht nur zwischen Köln und Mainz, denn ihre eleganten und komfortablen Kabinenschiffe gehen auf ›Kreuzfahrten im Herzen Europas‹ und berühren dabei fünf Länder: die Schweiz, Frankreich, Deutschland, die Niederlande und Belgien. Der Rhein zwischen Köln und Mainz bietet Sehenswertes in Hülle und Fülle, das sich Eiligen an Bord des Tragflügelbootes ›Rheinpfeil‹ erschließt, während Rheinbummler auf den drei Raddampfern ›Goethe‹, ›Mainz‹ und ›Rüdesheim‹ zusätzlich zum faszinierenden Panorama einen Hauch Nostalgie gratis mitgeliefert bekommen. Ihr Glück auf dem Wasser suchen und finden auch die vielen Freizeitkapitäne in und auf Booten aller Art. Für die Frachtschiffe dagegen ist die Fahrt auf dem Rhein keine Lustpartie, sondern ihr Arbeitsalltag. Das Lasttier Rhein befördert auf seinem deutschen Teilstück zwischen Rheinfelden und Emmerich jährlich eine Gütermenge von über 200 Millionen Tonnen, davon mehr als die Hälfte auf ausländischen Schiffen. Alle Anliegerstaaten dürfen ungehindert Flagge zeigen, dies garantiert die seit 1868 gültige Mannheimer Schiffahrtsakte. Zwar gab es auch schon bei den Verhandlungen zum Westfälischen Frieden (1648) Versuche, die Schiffahrt auf dem Rhein frei von Abgaben zu halten, aber die jeweiligen Territorialherren wollten auf diese Profitquelle nicht verzichten. Nicht nur in dieser Hinsicht waren sie würdige Nachfahren der Raubritter.

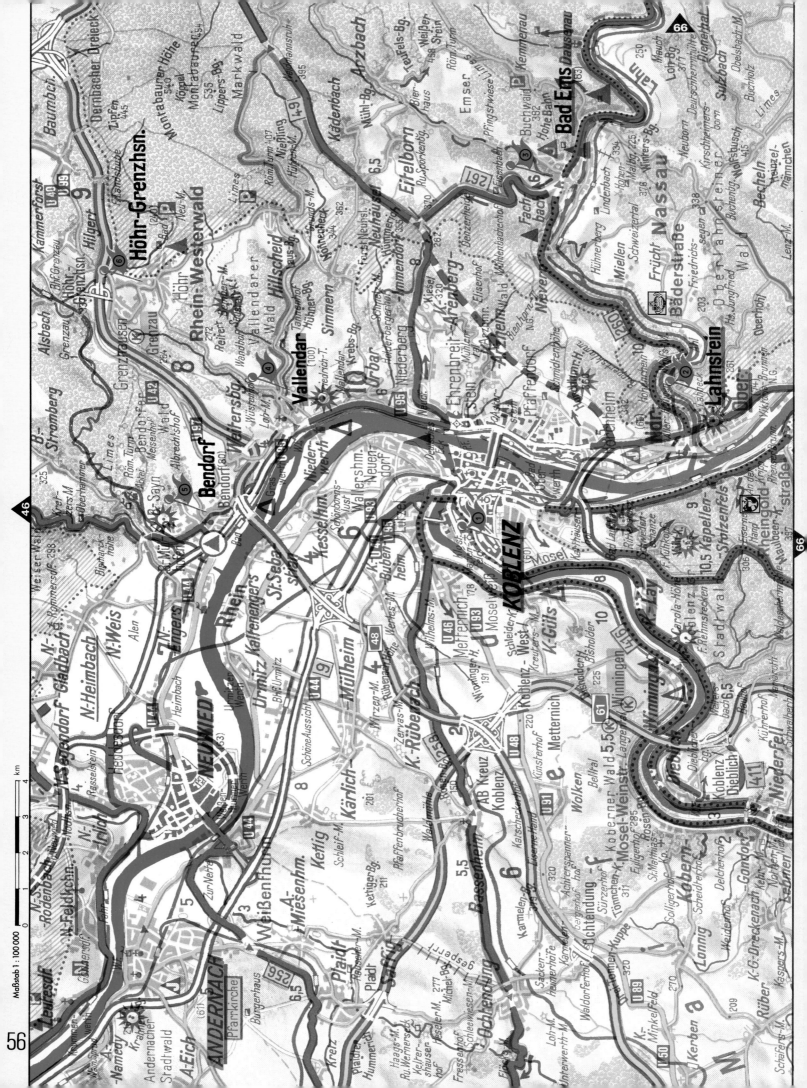

Koblenz ①

Das kurz nach der Zeitwende angelegte römische Kastell ›Confluentes‹ hat Koblenz den Namen gegeben. Im Mittelalter eine der bedeutendsten Städte am Mittelrhein, wurde sie Ende des 18. Jhs. ständige Residenz des Trierer Kurfürsten und Erzbischofs Clemens Wenzenslaus. Nach der Franzosenzeit fiel Koblenz mit den Rheinlanden 1815 an Preußen, und von 1947–50 war es sogar die Hauptstadt des neuentstandenen Bundeslandes Rheinland-Pfalz. Nach Eingemeindungen zählt die Stadt an Rhein und Mosel rund 120 000 Einwohner und ist Sitz zahlreicher Bundes- und Landesbehörden.

St. Florin, die älteste der Koblenzer Kirchen (um 1100), liegt im Mittelpunkt der Stadt. Die Stadtsilhouette wird jedoch von den barocken Hauben der Liebfrauenkirche (um 1230 vollendet) geprägt. Dritte bedeutende Kirche ist das ebenfalls doppeltürmige St. Kastor (1208 geweiht); es hat einen romanischen Chor im rheinischen Stil sowie sehenswerte Grabmäler aufzuweisen. Zum Stadtbild gehört auch die ursprünglich mit 13 Bögen die Mosel überspannende Balduinbrücke aus dem 14. Jh. Am Moselufer liegen die Alte Burg mit ihren beiden mächtigen Rundtürmen (um 1280, später mehrfach umgebaut), der Bürresheimer Hof (1660 mit Rokokoanbau von 1769) und das Alte Kauf- und Rathaus (1724 umgebaut, 1962 mit veränderter Inneneinrichtung wiederhergestellt), das nun zum Komplex des Mittelrhein-Museums gehört, dessen Schwerpunkt Frühgeschichte und Gemälde ab dem Mittelalter sind. An der Moselmündung liegt das ›Deutsche Eck‹, ursprünglich ein Kaiser-Wilhelm-Denkmal (die Figuren wurden 1945 zerstört), jetzt ›Mahnmal der deutschen Einheit‹. Am Rheinufer liegt das ehemalige Kurfürstliche Schloß (1793; Behördensitz). Viele weitere kirchliche und profane Bauten, Rheinkran, Stadtbefestigung, Bürger- und Adelshäuser verlocken zum ausführlichen Stadtbummel.

Der rechtsrheinische Stadtteil *Ehrenbreitstein* wird überragt von der gleichnamigen Feste (auch per Seilbahn zu erreichen), die in preußischer Zeit wieder auf- und ausgebaut wurde. Heute ist sie eine Touristen-Attraktion, u. a. auch wegen der beiden Museen: Landesmuseum mit Sammlungen zur Geschichte von Handwerk und Industrie, und das hauptsächlich der Schiffahrt gewidmete Rheinmuseum. Zu Füßen der Feste liegt das nach Plänen Balthasar Neumanns Mitte des 18. Jh. erbaute heutige Finanzamt.

Ehrenbreitstein ist mit Koblenz durch die Pfaffendorfer Brücke verbunden. Nahe der Brücke liegt in den Rheinanlagen auf der Koblenzer Seite das berühmte ›Weindorf‹. 1925 wurde es anläßlich einer Weinausstellung als originalgetreues Winzerdorf mit Weinberg und Fachwerkhäusern aus den bekanntesten deutschen Anbaugebieten errichtet. Seitdem sind (außer im November) ungezählte Zecher unter freiem Himmel auf dem Dorfplatz oder in den vier Weinhäusern eingekehrt.

Einige Kilometer stromauf, noch im Koblenzer Stadtgebiet, erhebt sich die neuromanische Burg *Stolzenfels* (Museum), die am zweiten Samstag im August in bengalischem Licht erstrahlt. Dann nämlich steht zwischen Braubach und Ehrenbreitstein ›Der Rhein in Flammen‹. Dieses nach dem Karneval größte Spektakel im Rheinland erleben allein 20 000 Menschen an Bord der Schiffe mit.

Auskunft: Fremdenverkehrsamt 5400 Koblenz.

Lahnstein ②

Die uralte Rivalität zwischen dem kurmainzischen *Oberlahnstein* und dem kurtrierischen *Niederlahnstein* hat wahrscheinlich auch die von der Gebietsreform erzwungene Zusammenfassung zur Stadt Lahnstein nicht beseitigen können. An der Lahnmündung befanden sich schon zur Römerzeit Befestigungsanlagen. Über Oberlahnstein thront die Burg Lahneck (1244 genannt, 1854 restauriert; Burgschenke mit schöner Aussicht, Burgfestspiele im Juli/August). Die Martinsburg im Tal ist die einzige Wasserburg am Rhein (13., 14. und 18. Jh., heute Zollamt). Sehenswert sind ferner das gotische Fachwerkrathaus, die Martinskirche mit ihren romanischen Türmen und kostbaren Altären, die mittelalterliche Stadtbefestigung mit dem Hexenturm und die Wenzelskapelle.

Im Stadtteil Niederlahnstein steht nahe dem Alten Zollhaus das berühmte Wirtshaus an der Lahn, in dem schon Goethe einkehrte. Die Johanniskirche stammt in ihrem ältesten Teil aus dem 12. Jh.

Auskunft: Verkehrsamt 5420 Lahnstein.

Bad Ems ③

Durch das Tal der Lahn führte der Limes, und die Römer kannten auch schon die Heilkraft der Quellen. Im letzten Jahrhundert gaben sich hier Kaiser und Könige ein Stelldichein. Das elegante Kurhaus (Theateraufführungen) stammt aus dem 18. Jh.; die Karlsburg (›Die vier Türme‹) von 1696 wurde als Badehaus begonnen. Es gibt weitere alte, sehenswerte Gebäude; dazu gehört die St. Martin-Kirche (nach dem Brand 1720 wieder aufgebaut). Der gepflegte Kurpark lädt zum Verweilen ein. Auf der Lahn findet im Juli die ›Kaiser-Regatta‹ statt.

Flußaufwärts liegt das tausendjährige *Dausenau* mit mittelalterlicher Stadtmauer und gotischer, sehenswerter Pfarrkirche; auch hier gibt es ein historisches Wirtshaus an der Lahn.

Auskunft: Kur und Verkehrsverein 5427 Bad Ems.

Vallendar ④

Im Kneipp- und Luftkurort am Rhein mit schönen, hochgiebeligen Fachwerkhäusern beginnt der Hauptwanderweg IV in den Westerwald. Sehenswert ist die alte Ausstattung der St. Petrus-Kirche (1841). Am Ortsrand liegt die Wallfahrtsstätte *Schönstatt* mit den Ruinen des 1143 gegründeten Augustinerinnenklosters.

Eine Rheinbrücke führt zur Insel *Niederwerth,* die für ihre Obst- und Gemüsekulturen (besonders Spargel) berühmt ist. Das Alter des Dorfes belegt die 1474 geweihte Kirche des ehemaligen Augustinerklosters mit beachtenswerter Innenausstattung. Am dritten Sonntag nach Ostern feiern die Niederwerther Kirchweih, Ende Juli/Anfang August ihr Schützen- und Volksfest.

Auskunft: Stadtverwaltung 5414 Vallendar.

Bendorf ⑤

In der Industriestadt stehen die ev. und kath. Pfarrkirchen St. Medardus. Im Stadtteil *Sayn* liegen die Ruinen von Burg Sayn (um 1200) und Schloß Sayn-Wittgenstein (17. Jh.) sowie die bedeutende ehemalige Prämonstratenser-Abtei (13. Jh., Kirchenschatz) mit Kreuzgang und Brunnenhaus. Ein Monument aus der Frühzeit der Technik ist die Gießhalle der Sayner Eisenhütte, ein Skelettbau von 1830.

Auskunft: Stadtverwaltung 5413 Bendorf.

Höhr-Grenzhausen ⑥

Die Stadt im Westerwald ist Mittelpunkt des für seine Keramikerzeugnisse bekannten ›Kannenbäckerlandes‹. Einblicke in Geschichte und Gegenwart dieses Kunsthandwerks gibt das Keramikmuseum Westerwald.

Auskunft: Verbandsgemeindeverwaltung 5410 Höhr-Grenzhausen.

Die Marksburg bei Braubach

zwischen Rhe

s und Boppard

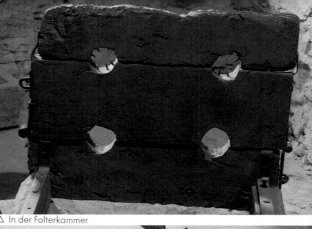

△ In der Folterkammer

△ So lebten die alten Rittersleut': Rüstung...   ...und Kemenate ▽   △ Ein gußeiserner Ofen sorgte für etwas Wärme

△ Im Wehrgang stehen die Kanonen

Der Rittersaal ist von bescheidener Pracht ▽

Die alte Ritterherrlichkeit ist auf der Marksburg (S. 58/59) für jedermann zu besichtigen. Denn nirgends am Rhein ist das Mittelalter so gut konserviert wie hier. Als einzige am Rhein hat die auf einem steilen Berg 150 Meter über dem Strom und dem Städtchen Braubach erbaute Marksburg allen Belagerungen widerstanden. Und nirgendwo sonst läßt sich die Entwicklung einer Wehranlage so gut ablesen wie hier. Die Kernburg, auf dreieckigem Grundriß, entstand um das Jahr 1200. Danach haben sie die wechselnden Besitzer bis zum 17. Jahrhundert durch Umbauten und Verstärkungen der sich fortentwickelnden Kriegstechnik angepaßt. Mit dieser Entwicklung hielt die der Wohnkultur allerdings nicht Schritt. Das Leben innerhalb der trutzigen Mauern war alles andere als komfortabel, ja geradezu spartanisch, verglichen mit den Verhältnissen in den Stadthäusern der Patrizier.

Sicherheit hat eben ihren Preis, und sicheren Unterschlupf bot die Marksburg. Kaiser Heinrich IV. zum Beispiel, auf der Flucht vor seinem rebellierenden Sohn, wußte das zu schätzen. In nassauischer Zeit diente die Marksburg als Staatsgefängnis, aber auch als Invalidenhaus. Seit 1900 ist sie Eigentum der ›Deutschen Burgenvereinigung e.V.‹, die auch hier ihren Sitz und inzwischen eine Fachbibliothek mit zehntausend Bänden zusammengetragen hat sowie ein reichhaltiges Archiv. Fünfzehn- oder gar zwanzigtausend Burgen, Schlösser und Herrenhäuser – so genau wissen das nicht einmal die Fachleute – gibt es in Deutschland. Wer gern Burgherr werden will, braucht nur auf der Marksburg anzufragen. Und keine Angst vor der Kaufsumme: Schon für eine Mark oder gar umsonst ist manch altes Gemäuer zu haben – aber über die Nachfolgekosten schweigt man besser.

△ Einst ein bedeutendes Städtchen: Rhens am Rhein   Trotz mancher Zerstörungen im letzten Krieg gibt es noch schöne alte Fachwerkhäuser in Rhens ▽   Den Fenst

△ Der wieder aufgebaute Königsstuhl

Hält er sich die Ohren zu? ▽

zwei geschnitzte Figuren ▽

In Rhens tagte einst der gewichtige ›Kurverein‹

Die Szene kann man sich heutzutage kaum vorstellen: In einem Nachen lassen sich sieben würdige Männer auf den Rhein hinausrudern, um unbelauscht von Neugierigen ihre Geschäfte besprechen zu können. Die Herren sind Mitglieder des ›Kurvereins‹ von Rhens. Ihre Überlegungen kreisen nicht um die ungenutzt im Rhein sprudelnde Mineralquelle; die wurde erst viel später durch eine Tiefbohrung erschlossen. Nein, es sind hochpolitische Gespräche, die da auf dem Wasser geführt werden, und die Mitglieder des vornehmen Kollegiums sind die sieben Kurfürsten des Deutschen Reiches. Daß sie im 14. Jahrhundert in Rhens zusammenkamen, hatte einen guten Grund. In dieser Gegend grenzten nämlich die Territorien von vier Kurfürsten aneinander, drei geistlichen, nämlich Köln, Mainz und Trier (spöttisch ›Pfaffengasse‹ genannt), und eines weltlichen, des Pfalzgrafen bei Rhein. Nur die Kurfürsten aus Böhmen, Brandenburg und Sachsen hatten eine beschwerlichere Anreise. Aber es genügten zur gültigen Wahl des deutschen Königs ohnehin vier Stimmen, so beschloß es der 1338 gegründete ›Kurverein von Rhense‹. Er beschloß außerdem, daß der deutsche König auch ohne die Krönung durch den Papst zugleich Kaiser des Heiligen Römischen Reiches sei. Der eigentliche Tagungsort der sieben Kurfürsten war der kanzelartige Königsstuhl, der 1843 wieder errichtet wurde.

Statt Kurfürsten ist nun der Gast König. Auch Rhens ist eine bunte Stadt, seine Fachwerkhäuser können jeden Vergleich mit Linz bestehen. Vor allem die köstlich geschnitzten Stützbalken der Erker erregen Bewunderung. Und daß sich einer der Träger die Ohren zuzuhalten scheint, wäre verständlich: Mitten durch Rhens führt immer noch die Bundesstraße 9.

△ Blick vom Rhein auf Boppard

Die St. Severus-Kirche in Boppard ▽

△ Hirzenach: Das ehemalige Priorat ist heute...   ...das Pfarrhaus ▽

Burg Sterrenberg und Liebenstein, ›Die Feindlichen Brüder‹ ▽

Braubach:
Eine hübsche Wasserpumpe

Kirschen- und Weinland an der Rheinschleife

Wer Rhens passiert hat und weiter stromauf in Richtung Boppard fährt, den erwartet eine atemraubende Landschaftsszenerie: Am linken Ufer erhebt sich, fast schon wie ein rheinischer Gral, über Braubach die Marksburg, zu der drei Fabrikschlote einen seltsamen Kontrast bilden, und dann kündigt Spay, das seine schönen Fachwerkhäuser am Ufer verbirgt, die große Rheinschleife an. Hier beginnt das Kirschenland, im Frühling ein weißes Blütenmeer, rechterhand steigen über der Bahntrasse die Weinterrassen des Bopparder Hamm auf (der amtliche Name des Anbaugebietes lautet: Großlage Gedeonseck). Kilometerlang fährt man an Rebstöcken vorbei, und am anderen Ufer blinken von weitem die ›Feindlichen Brüder‹, die Burgruinen Sterrenberg und Liebenstein, über dem alten Wallfahrtsort Kamp-Bornhofen.

Und immer noch säumen Weinberge die Straße, während sich Boppard ankündigt mit den weißen Doppeltürmen der St. Severus-Kirche und dem üppigen Grün seiner Rheinpromenade. Zweieinhalb Kilometer lang sind die Uferanlagen, und im Stadtwald warten 200 Kilometer markierte Wanderwege. Von der Talstation Boppard kriecht die Hunsrückgebirgsbahn bergwärts. Ein Sessellift führt hinauf in luftige Höhen, zum Vierseenblick. An diesem Aussichtspunkt wird deutlich, wie bizarr die Rheinschleife wirklich ist, wie windungsreich sich der Strom durchs Hochplateau gegraben hat.

Nach Boppard ist es dann zunächst einmal mit der Landschafts-Dramatik vorbei. Bei Bad Salzig dehnen sich wieder Obstgärten, und Hirzenach überrascht mit einem anmutigen Pfarrhaus. Aber nur ein paar Kilometer weiter – und der Höhepunkt der Rheinromantik ist erreicht.

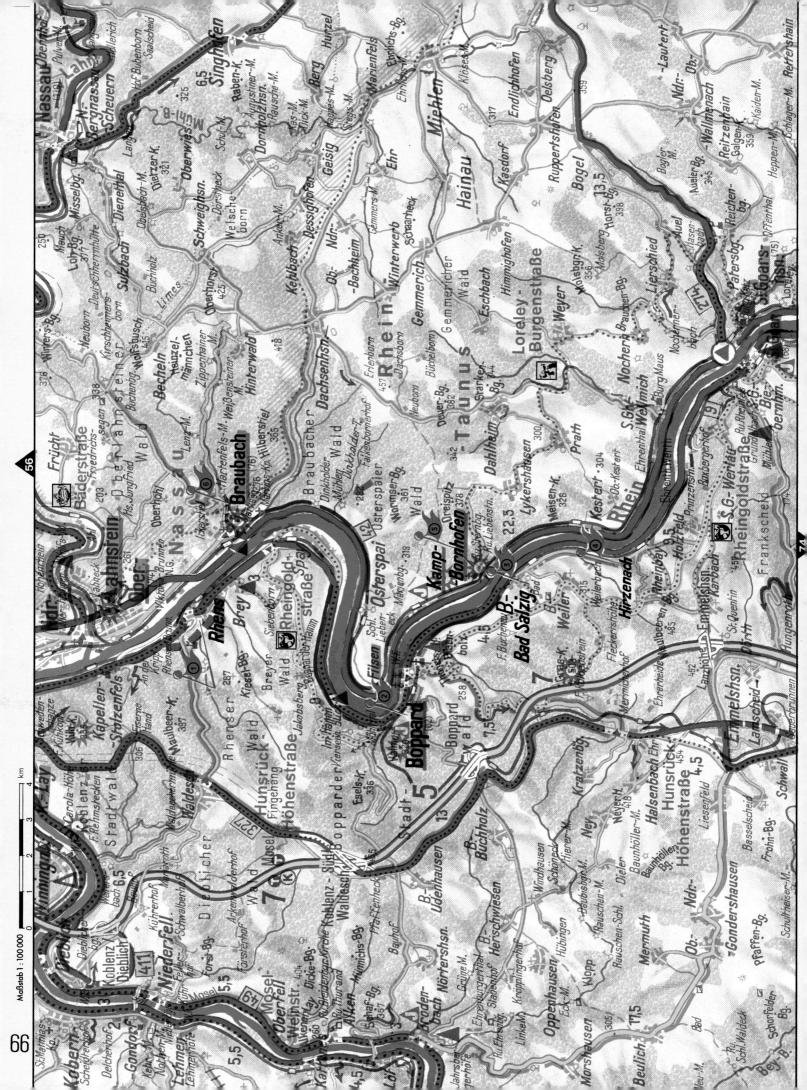

Wo gibt es was?

Fähnchennummer = Textnummer

Rhens ①

Nicht nur sein Sprudel hat Rhens bekannt gemacht: Ehe er durch eine Tiefbohrung erschlossen wurde, perlte er ungenützt im Rhein. Das schon im 7. Jh. erwähnte Städtchen war im Mittelalter ein politisches Machtzentrum. Hier, wo die drei geistlichen Kurfürstentümer Köln, Mainz und Trier sowie die Pfalzgrafschaft bei Rhein aneinanderstießen, tagte der ›Kurverein von Rhense‹. Hier wählten also die sieben Kurfürsten des Reiches die deutschen Könige. Versammlungsort war der ›Königsstuhl‹, der bereits 1308 belegt ist. Nach der Zerstörung wurde er 1843 aus den Trümmern wiederaufgebaut und 1929 an die heutige Stelle versetzt. Der Ort selber prunkt mit seiner Pfarrkirche (schöne Barockausstattung) und dem gotischen Alten Rathaus, das als eines der schönsten am Mittelrhein gilt, außerdem mit reichgeschnitzten und buntbemalten Fachwerkhäusern (zum Teil 16. und 17. Jh.). Sehenswert sind auch die Türme, Tore und Mauern der Stadtbefestigung, die um 1400 gebaut wurde. Der Scharfenturm im Garten des Hotels »Königsstuhl« diente einst als Verlies, Folterkammer und Gerichtssaal für angebliche Hexen.

Zu Rhens gehören inzwischen auch *Brey* (alte römische Wasserleitung, Fachwerkhäuser) und der aus Nieder- und Oberspay gebildete Ort *Spay*: Er liegt an der großen Rheinschleife vor Boppard inmitten ausgedehnter Kirschgärten, hat schöne Fachwerkhäuser an der Uferfront und eine alte Kirche.

Wenige Kilometer entfernt befindet sich – ruhig gelegen – das komfortable »Klostergut Jakobsberg«, an das sich ein Wildgehege anschließt.

Auskunft: Verkehrsamt 5401 Rhens.

Boppard ②

Am Rheinknie siedelten schon die Kelten, und die Römer errichteten hier ein Kastell, von dem noch Mauerreste zeugen. Unter den Hohenstaufen wurde Boppard Freie Reichs- und Hansestadt, und von 1250–1400 war es ein wichtiges Mitglied im Rheinischen Städtebund. Nach den Zerstörungen im Dreißigjährigen Krieg verlor es an Bedeutung, bis der Fremdenverkehr die Weinstadt (am Bopparder Hamm stehen in reiner Südlage eineinhalb Millionen Weinstöcke; neuerdings gibt es hier einen Weinlehrpfad) entdeckte. Aus Boppards großer Zeit stammen sehenswerte Bauwerke: die St.-Severus-Kirche, eine spätromanische Emporenbasilika mit den für das Stadtbild charakteristischen Doppeltürmen (Kruzifix von 1230); die turmlose Karmeliterkirche (14., 15. Jh.) mit reichem Schnitzwerk im Innern (Chorgestühl, Altar) sowie die ehemals kurtrierische Burg (Kern aus dem 14. Jh., heute Amtsgericht und Heimatmuseum). Von der mittelalterlichen Stadtbefestigung sind noch Tore und Teile der Mauer erhalten. Beachtenswert sind auch einige Adelssitze, darunter Templerhaus und Haus Schwalbach, und so manches alte Fachwerkhaus. Von den 2,5 km langen Rheinanlagen schaut man auf den Strom. Ein lohnender Ausflug (auch per Sesselbahn) führt zum Aussichtspunkt *Vierseenblick*. Eine über halbtausendjährige Tradition als Volks- und Heimatfest zeichnet die Orgelbornskirmes am dritten Wochenende nach Pfingsten aus; Zwiebelmarkt ist im September, Weinfeste finden Ende September/Anfang Oktober statt. Gute Küche bietet das schöngelegene »Bellevue Rheinhotel«.

Auskunft: Städtisches Verkehrsamt 5407 Boppard.

Bad Salzig ③

Mit dem Heilbad am Fuß der Fleckertshöhe (mit 530 m die höchste Erhebung am Mittelrhein, Ausflugslokal) und umgeben von großen Obstplantagen verbindet sich eines der bekanntesten Rheinlieder: ›Es zogen drei Burschen wohl über den Rhein . . . .‹. Die Kureinrichtungen und der Kurpark mit seinen Platanenalleen liegen in ruhiger Abgeschiedenheit in einer Talmulde. Darüber, am Hunsrückhang, verläuft eine an Attraktionen reiche Autoroute: die Rheingoldstraße (siehe auch Seiten 74/75.)

Auskunft: siehe Boppard.

Hirzenach ④

Das tausendjährige Weindorf ist ein beliebter Ausgangspunkt für Wanderungen im Hunsrück. Ein schönes Architektur-Ensemble bilden die ehemalige Propsteikirche (frühes 12. Jh.) mit ihrem wuchtigen Turm und das anmutig proportionierte Pfarrhaus.

Auskunft: siehe Boppard.

Kamp-Bornhofen ⑤

In diesem alten Wein- und Wallfahrtsort endet bzw. beginnt die Loreley-Burgen-Straße (durch den Taunus bis Sauerthal), die hier eine der markantesten Burgenszenerien am Rhein berührt: Die ›Feindlichen Brüder‹. Das sind die Burgen *Sterrenberg* und *Liebenstein* (herrliche Aussicht ins Rheintal und über die Höhen, Burggaststätten). Beide sind Ruinen. Sterrenberg bestand vielleicht schon vor 1100, war seit 1568 unbewohnt und verfiel; 1970 wurde das sog. ›Frauenhaus‹ als Wohngebäude ausgebaut. Liebenstein war ursprünglich wohl eine Vorfestung von Sterrenberg. Als letztere dann kurtrierisch wurde, begannen die Streitigkeiten der Burgherren.

Freilich nur eine Sage ist diese Geschichte: In den Burgen lebten einst zwei verfeindete Brüder, die die Brücke zwischen ihren Burgen durch eine ›Streitmauer‹ unpassierbar machten und schließlich einander während eines Streits in der Klosterkirche erschlugen.

Die aus dem 15. Jh. stammende Marienkirche des Franziskanerklosters Bornhofen besitzt ein vielbeachtetes Gnadenbild. Im September finden im Ort die Mittelrheinischen Musiktage statt.

Auskunft: Verkehrsamt 5424 Kamp-Bornhofen.

Braubach ⑥

Von Kamp-Bornhofen stromabwärts liegen auf dem Weg nach Baubach zuerst der rechtsrheinische Teil des ›Frühkirschenlandes‹. Am Fuß der Filsener Ley liegt dann das Dorf *Filsen* (Rathaus aus dem 17. Jh., Fachwerkhäuser) und ein Stück weiter Schloß *Liebeneck*.

Dann gerät eine der schönsten Trutzburgen am Rhein ins Blickfeld: die *Marksburg* über Braubach, der Stadt des Weines und der Rosen. Hier entstand schon im frühen Mittelalter eine Siedlung, die 1276 Stadtrechte erhielt. In die alten Wehranlagen (teilweise erhalten) war früher auch der mächtige Turm der St. Barbara-Kirche (um 1300) einbezogen. Daß dieses Gotteshaus der Schutzheiligen der Bergleute geweiht wurde, ist kein Zufall, denn seit 1301 ist der Silberbergbau hier urkundlich bezeugt. Unterhalb der Marksburg liegt die uralte St. Martins-Kapelle (Malereien und Schnitzarbeiten sowie Kanzel aus dem 16. Jh.).

Die Marksburg steht 150 m hoch über dem Rhein und ist die einzige unzerstörte Höhenburg am Mittelrhein. Begonnen wurde mit dem Bau im 13. Jh., im 14., 15. und 16. Jh. wurde die Marksburg aus- und umgebaut. Neben der Stadtbefestigung und einigen Häusern im mittelalterlichen Stadtkern ist noch die Philippsburg (Umbauten und Abbrüche im vorigen Jh.) sehenswert.

Das Braubacher Winzerfest findet am ersten Oktobersonntag statt.

Auskunft: Verkehrsverein 5423 Braubach.

Rhein-Romantik

rund um St.Goar

△ Über St. Goarshausen thront Burg Katz   Ein Stückchen stromab steht Burg Maus ▽

Oberwesel: Blick auf die Schönburg und das Städtchen am Rhein ▽

Muttergottesstatue an der Liebfrauenkirche ▽

Das Lied von der Loreley ging um die Welt

Ich weiß nicht, was soll es bedeuten, daß ich so traurig bin . . . ‹. So klingt es sicherlich aus dem Bordlautsprecher, wenn das Schiff den berühmtesten Felsen am Rhein passiert: die Loreley. Das von Friedrich Silcher vertonte Heine-Gedicht ist um die Welt gegangen, Legionen von Männerchören haben es zu Gehör gebracht – es gilt als Inbegriff aller Rhein-Romantik. Aber der sagenumwobene zerklüftete Fels über dem engen Strom – hier soll der Nibelungenhort versenkt worden sein – ist nicht nur poetisch besungen worden. Auch kommerziell läßt er sich trefflich verwerten, was man an Ort und Stelle, also in den Schwesterstädten St. Goar und St. Goarshausen, leicht feststellen kann. Womit nichts gegen die Weinlage Loreley Edel gesagt sein soll, denn dieser Name hat ebenso seine geographische Richtigkeit wie die Lagenbezeichnungen Burg Katz und Burg Maus.
Diese beiden Ritterhorste bilden ein ähnlich prominentes Paar wie die ›Feindlichen Brüder‹. Burg Katz war der rheinische Stützpunkt der hessischen Grafen Katzenelnbogen, und die gaben der benachbarten Deurenburg den Spitznamen Maus. St. Goar wird von einer der größten aller Rheinburgen beherrscht: Rheinfels, von den Grafen Katzenelnbogen als Zollfeste erbaut. Sie widerstand vielen Belagerungen und fiel dann doch kampflos an die Franzosen, weil die Burgbesatzung aus Angst vor deren Übermacht geflohen war. Katz, Maus, Rheinfels und dazu noch die Loreley: Das alles gibt es auf einen, nämlich den Dreiburgenblick bei St. Goarshausen. Die mächtige Ruine der Schönburg kann für sich allein bestehen. Und ihr zu Füßen das Städtchen Oberwesel: mit seinen Kirch- und Wehrtürmen, seiner Stadtmauer und den pittoresken Häusern ein Stück Mittelalter zum Verlieben.

△ Blick über Bacharach auf den Rhein

△ Liebenswürdige Fachwerkhäuser in Bacharach

△ Südlich von Trechtingshausen liegt Burg Rheinstein

Aßmannshausens bekanntes Hotel »Krone« ▽

Gemütliche Trinkrunde in Bacharachs »Alter Münze« ▽

△ Bacharach: Im Hof der Burg Stahleck   Burg Reichenstein bei Trechtingshausen ▽

Burgen und Wein rund um Bacharach

Heinrich Heine hat nicht nur die Loreley, sondern auch Bacharach literarisch verewigt. Gleich zu Beginn seines Fragmentes ›Der Rabbi von Bacharach‹ heißt es: ›. . . dort liegt, wie eine schaurige Sage der Vorzeit, die finstere, uralte Stadt Bacharach‹. ›Uralt‹ ist ohne Zweifel richtig, denn hier stand ein dem Weingott Bacchus gewidmetes Heiligtum der Römer, aber ›finster‹ wird vom warmen Farbton des Fachwerks Lügen gestraft. Und wenn auch das Rheintal hier relativ eng ist: Die Heiterkeit des Rheingaus, seine laut Heine ›lachende Miene‹ kündigt sich bereits an.

Selbst Kaub, zwischen Bacharach und Oberwesel am linken Rheinufer gelegen, hat so gar nichts Trutziges an sich. Immerhin hat hier eine der folgenreichsten Rheinüberquerungen der Geschichte stattgefunden: Auf einer von russischen Pionieren heimlich vorbereiteten Pontonbrücke setzte Marschall Blücher mit seiner gesamten Streitmacht in der Neujahrsnacht 1813/14 auf der Verfolgung der in der Völkerschlacht von Leipzig geschlagenen napoleonischen Truppen über den Strom. Überraschend für Feind und Freund, müßte man hinzufügen, denn an sich ist das Rheintal zwischen Koblenz und Bingen für Übergänge höchst ungeeignet. Bis heute gibt es keine Brücke in diesem oft schluchtartigen Stromabschnitt.

Der Bingerwald, der ab Bacharach den Rhein säumt, und erst recht das rechtsrheinische Rheingaugebirge ab Lorch bringen eine heitere Note in diese burgen- und rebengesegnete Landschaft. Auf dem Höllenberg über Aßmannshausen (S. 68/69) wächst ein höllisch guter Tropfen. Der zählt, einmal ganz abgesehen davon, daß er als der beste deutsche Rotwein gilt, bereits zu den großen Weinen des Rheingaus.

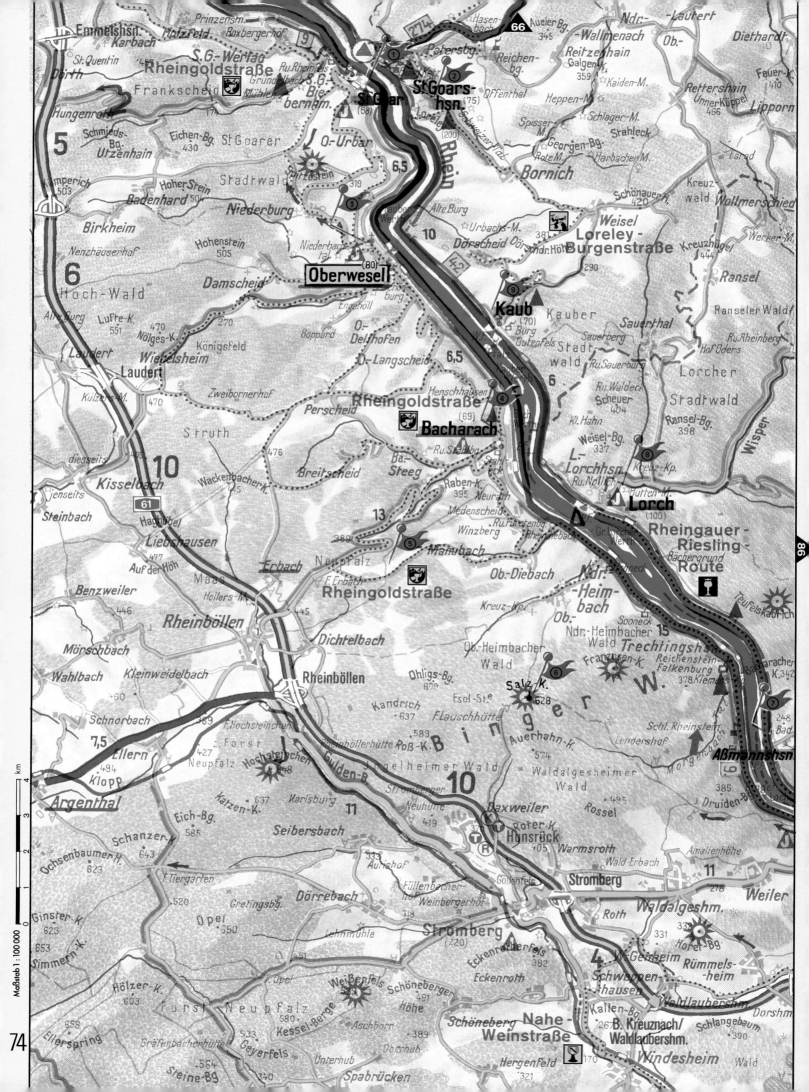

Wo gibt es was?

St. Goar ①

Der Namenspatron des Städtchens war der einsiedelnde heilige Goar (gestorben 575 oder 611). Die evangelische Stiftskirche wurde im 15. Jh. zu einem Hallenbau mit Netzgewölbe umgestaltet und mit sehenswerten Wandmalereien ausgeschmückt. In der kath. Pfarrkirche ist der Altar mit Malereien (1480) beachtenswert. Über dem Ort liegt *Rheinfels,* einst eine der mächtigsten Burgen am Strom, die 1796/97 zerstört wurde. Einige alte Wohnhäuser sowie Reste der Ortsbefestigung sind außerdem anzusehen. Ein Rheinlied hat ein Lokal berühmte gemacht: ›Im Goldenen Löwen zu St. Goar . . .‹. Im Sommer gibt es ein großes Stadtfest, Anfang August feiert der im 13. Jh. gegründete Hansenorden sein Fest, und im September steht ›Der Rhein in Flammen‹.
Auskunft: Verkehrsamt 5401 St. Goar.

St. Goarshausen ②

Der Schwesterort von St. Goar auf der rechten Rheinseite, der 1324 zur Stadt erhoben wurde, liegt in der Nähe des berühmtesten Rheinfelsens: der Loreley (Lore = Lure = Fee, Ley = Fels), den Heines Gedicht (›Ich weiß nicht, was soll es bedeuten . . .‹) weltberühmt gemacht hat. Von der Aussichtsterasse hat man einen phantastischen Blick in die Rheinenge mit den meist vom Wasser überspülten ›Hungersteinen‹ oder ›Sieben Jungfrauen‹, gefährlichen Riffen. Auf der Freilichtbühne (mit Gaststätte) finden im Juli die Loreley-Festspiele statt. Über den Rebhängen von St. Goarshausen liegt die Burg *Katz* (14. Jh.), die ursprünglich Neukatzenelnbogen nach der gleichnamigen Grafschaft hieß. Über dem eingemeindeten Winzerort *Wellmich* liegt Burg *Maus* (14. Jh.); sehenswert auch die St. Martinskirche (14. Jh.).
Der Pfingstmarkt und vor allem die St. Goarshausener Weinwoche im September locken viele Besucher an, ebenso das Winzerfest in der Altstadt.
Auskunft: Verkehrsamt 5422 St. Goarshausen.

Oberwesel ③

Die Stadt der Türme wird überragt von der tausendjährigen Ruine *Schönburg* (im 14. Jh. ausgebaut, 1689 verwüstet, heute Schloßhotel). Von der Befestigung der einst Freien Reichsstadt sind 16 Wacht- und Verteidigungstürme sowie die Mauer erhalten. Die Stifts- oder Liebfrauenkirche von 1331 hat einen 74 m hohen Turm und im Innern einen prachtvollen gotischen Schnitzaltar, Chorgestühl sowie sehenswerte Grabdenkmäler. Der mächtige Glockenturm der hochliegenden St. Martins-Kirche (14. Jh., reiche Ausstattung) gehörte einst zur Stadtmauer; von der Wernerkapelle wurde nach der Zerstörung 1689 nur der Chor wiederaufgebaut. Am zweiten Sonntag im September ist Weinmarkt.
Auskunft: Verkehrsamt 6532 Oberwesel.

Bacharach ④

Das Alter des Weinorts bezeugt schon der römische Name: Bacchi ara, Altar des Bacchus. Bacharach bekam 1356 Statdrechte, und aus dem 14. Jh. stammen auch die neun erhaltenen (von ursprünglich 16) Wehrtürme. Wer auf dem Maurring spazierengehen will, kann dies auf der Rheinseite zwischen Zollhof und Münzturm tun. Wahrzeichen der Stadt ist die hochgotische, 1689 zerstörte Wernerkapelle. Sehenswert sind außerdem Peterskirche (12.–14. Jh.) sowie zahlreiche Profanbauten, u. a. Haus Sickingen (um 1420), Alte Post, Alter Zollhof, Alte Münze. Über der Stadt liegt Burg *Stahleck* (1926 als Jugendherberge wiederaufgebaut) und in der Umgebung Ruine *Fürstenberg* (13. Jh., 1689 zerstört). Am dritten Wochenende im Juni ist Weinblütenfest, Anfang Oktober beginnt das Weinlesefest, das älteste am Mittelrhein mit Aufführungen der Winzer- und Trachtengruppe.
Auskunft: Verkehrsamt 6533 Bacharach.

Rheingoldstraße ⑤

Diese attraktive Autoroute führt – teils als Stichstraße – über rheinseitige Hunsrückhänge und -höhen, durch wein- und waldreiche Kerbtäler und zu berühmten Rheinorten. Die zwei Stichstraßen: Rhens, Königsstuhl, Waldesch und zurück (13 km); Spay, Siebenborn, Jakobsberg (von dort zu Fuß zum Vierseenblick) und zurück (12 km). Die Hauptroute: Boppard, Bad Salzig, Weiler, Fleckertshöhe (530 m), Rheinbay, Werlau, St. Goar, Biebernheim, Urbar, Niederburg, Damscheid, Engehöll, Oberwesel, Langscheid, Perscheid, Breitscheid, Steeg, Bacharach, Manubach, Oberdiebach, Rheindiebach, Niederheimbach (67 km).

Salzkopf ⑥

Vom Aussichtsturm auf dem 628 m hohen Salzkopf am Rheinhöhenweg bietet sich ein herrlicher Blick über Soonwald und Bingerwald (Rundwanderweg, bewirtschaftete Forsthäuser). Ausgangspunkt für Wanderungen sind im Rheintal *Trechtingshausen* mit den Burgen *Reichenstein* (Schloßhotel) und *Rheinstein* (Waffensammlung, Gaststätte) und *Niederheimbach:* Hier liegen die *Heimburg* (13./19. Jh.) und Burg *Sooneck.* Letztere ließ Rudolf von Habsburg 1282 zerstören und König Friedrich Wilhelm IV. von Preußen 1840 wieder aufbauen (Museum und Burgschenke). Eine andere Attraktion ist der Märchenhain auf einer 30 m hohen Felsterasse.
Auskunft: Verkehrsverein 6531 Trechtingshausen; Verkehrsverein 6532 Niederheimbach.

Aßmannshausen ⑦

Der Rotweinort am Beginn des Rheindurchbruchs war in der Romantik ein Treffpunkt von rheinischen Künstlern. Historische Gaststätten sind u. a. die Hotels »Krone« (bekannt für gute Küche) und »Anker«. In der stromauf gelegenen Ruine *Ehrenfels* wurden früher die Kleinodien des Mainzer Doms aufbewahrt. Stromabwärts liegt der Ort *Aulhausen* mit spätgotischer Dorfkirche. Um Himmelfahrt feiert Aßmannshausen sein Rotweinfest.
Auskunft: Verkehrsverein 6224 Aßmannshausen.

Lorch ⑧

Sehenswert in diesem bekannten Weinort sind die St. Martins-Kirche (Anfang 13. Jh., hervorragende Ausstattung) und das Hilchenhaus (16. Jh.). In der Umgebung liegt Burg *Nolling* (11. Jh.). Ausflugs- und Wandermöglichkeiten im herrlichen Wispertal.
Auskunft: Verkehrsamt 6223 Lorch.

Kaub ⑨

Zwei Superlative sind mit Kaub verbunden: Es war einmal das Zentrum des rheinischen Schieferabbaus und besitzt noch immer die größte Anbaufläche für Wein am Mittelrhein (233 Hektar). Über der mittelalterlichen Stadt mit Teilen der ehemaligen Befestigung liegt Burg *Gutenfels* (13. Jh., heute Schloßhotel). Auf der Rheininsel *Pfalzgrafenstein* (oder Pfalzgrafenwerth) befindet sich die ›Pfalz‹, die im 14. Jh. als Zollstation erbaut und durch Blüchers Rheinübergang berühmt wurde (täglich Überfahrten und Führungen). Es gibt noch eine Reihe alter Gebäude in Kaub sowie Teile der Stadtbefestigung.
Auskunft: Verkehrsamt 5425 Kaub.

Steinberger

Im Weinlan

Steinberger

d Rheingau

△ Feuerzauber über dem Rhein beim Binger Loch   Niederwalddenkmal ▽

Der Mäuseturm bei Bingen

Von Mäusen und Drosseln und einer Riesendame

Der Rhein im Feuerzauber‹, das läßt an Richard Wagner denken – und die Germania an seine ›Walküre‹. Die Dame auf dem Niederwalddenkmal bei Rüdesheim ist überaus stattlich geraten: Von der Sohle bis zum Scheitel mißt sie 10,55 Meter, und der ausgestreckte rechte Arm mit der Krone des 1871 gegründeten preußisch-deutschen Kaiserreiches ist noch fast zwei Meter höher. Verglichen mit dem Gewicht der Figur (640 Zentner) ist das 7,05 Meter lange Schwert geradezu federleicht (28 Zentner) – aber genug damit: Die Aussicht vom Niederwalddenkmal samt Seilbahnfahrt über die Weinberge ist allemal lohnend. Erbaulicher, wenn auch leider nicht wahr, ist die Geschichte des Mäuseturms von Bingen. Hierher hatte sich, während eine Hungersnot im Jahre 969 das Volk ringsum darben ließ, der hartherzige und geizige Erzbischof Hatto III. mit üppigen Vorräten gerettet, aber er entkam seinem Schicksal dennoch nicht: Die Mäuse fraßen ihn auf. In Wirklichkeit diente der auf einem Felsen im Strom erbaute Mäuseturm der Schiffahrt: zuerst ihrer Schröpfung (als Zollstätte), später ihrer Sicherheit (als Signalturm). Nachdem 1976 das gefährliche Binger Loch entschärft war, dient er nur noch der Legende.

Legendär ist auch der Ruf der Rüdesheimer Drosselgasse. Die Spatzen pfeifen ihren Ruhm von den Dächern, und die Touristen hören es gerne. Die Drosselgasse ist offenbar ein Muß für alle Rhein-Reisenden, so scheint es wenigstens angesichts der Menschenströme, die sich durch das schmale Gäßchen wälzen und in die Lokale ergießen. Natürlich hat Rüdesheim mehr zu bieten als diese Gasse – und der Rheingau-Taunus-Kreis mehr als nur Rüdesheim, dessen Anfangsbuchstaben RÜD ein werbewirksames Aushängeschild sind.

In Rüdesheims Drosselgasse: Menschenmengen... ▽

...und ruhige Rast bei einem Glas Wein ▽

△ Im Brömserhof in Rüdesheim befindet sich das ›Mechanische Musikkabinett‹ ▽

△ Als Musik noch sanfter Erbauung diente: Musikmaschinen von anno dazumal ▽

△ Die Kirmesorgel gehörte einst zu einem Karussell

Gemütliche Musikautomaten erinnern an alte Zeiten

Wem's nicht gefällt, der bekommt ›promt‹ sein Geld zurück. So verkündet es der Besitzer von ›Siegfrieds Mechanischem Musikkabinett‹. In einem Schaukasten an der Straße berichtet Siegfried stolz von einer Einladung des Bundeskanzlers Schmidt zu einem Konzert mit seinen Instrumenten. 250 Musikautomaten aus der Zeit zwischen 1780 und 1930 hat er zusammengetragen und stellt sie einem staunenden Publikum vor, das hinterher gewiß nicht das Eintrittsgeld zurückverlangen wird. So ein nostalgischer Spaziergang durch eine Welt ohne den Höllenlärm moderner Musikverstärker schont das Gehör und stärkt das Gemüt.

›Und das elektrische Klavier, das klimpert leise . . .‹, hieß es in einem Vorkriegsschlager, und kurz vor der Jahrhundertwende berichtet ein Lexikon, daß ›Musikwerke (mechanische, automatische) . . . Tonstücke mehr oder minder vollkommen vorzutragen ermöglichen. Apparate solcher Art sind erst in den letzten hundert Jahren zu größerer Verbreitung und Beliebtheit gelangt; doch reicht ihre Erfindung und vereinzelte Herstellung viel weiter zurück.‹

In der Tat, schon im Altertum zwitscherten künstliche Vögel, und seit dem 16. Jahrhundert gab es Glockenspiele in Kirchtürmen und Spieldosen, die mit Hilfe von Walzen betrieben wurden, wie später auch die Orchestrions und mechanischen Klaviere. Dann gesellte sich zur Walze die durchlöcherte Scheibe, auch Notenblatt genannt. Doch den technischen Fortschritt ließ das Lexikon nicht gelten: ›. . . ein billiger Ersatz für eine durch geschulte Musiker hervorgebrachte Musik‹. Heute werden selbst HiFi-geschulte Ohren sich an dem Gezirpe, Gebimmel, Gehämmer, Getrommel und Gepfeife in Siegfrieds Kabinett ergötzen.

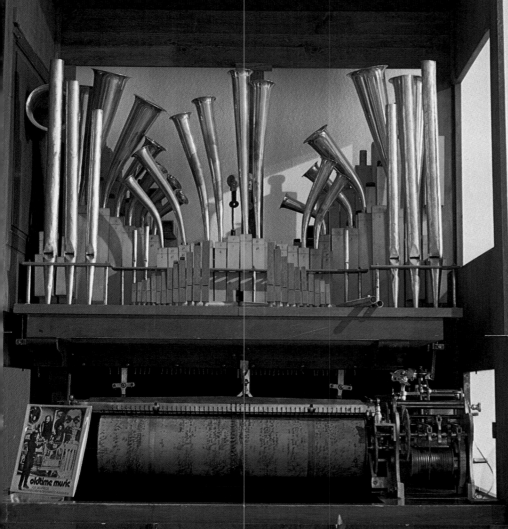

△ Schön anzusehen: ein Orchestrion

›...und das elektrische Klavier klimpert leise...‹ ▽

△ Von 1628 ist das Fachwerkhaus mit Oestrichs »Schwan«　　　△ Bei Ingelheim steht der Bismarckturm　　　Schloß Johannisberg ▽

△ Die Wehrmauer umgibt noch die alte Burgkirche von Ingelheim

△ Schloß Vollrads bei Oestrich-Winkel...   ...und zur Weinlesezeit ▽

Berühmte Weine aus dem Rheingau und Rheinhessen

Für 190 Mark ist man dabei, beim Rheingauer Weinseminar. Jeweils von Montag bis Freitag dauern die Kurse für Anfänger (Weinfreunde), Fortgeschrittene (Weinkenner) und für solche, die in einem Schlußseminar höchste Kennerschaft und gleichzeitig die Mitgliedschaft im Rheingauer Weinkonvent erwerben wollen. Fachmännische Unterweisung garantiert die Geisenheimer Forschungsanstalt für Wein-, Obst- und Gartenbau, und Einblicke in die Praxis gewähren Winzer, Sektkellereien und Brennereien. Zu den Kursgebühren kommen noch die Kosten für Kost und Logis, natürlich in einem Rheingau-Ort.

Zwischen dem Waldsaum des Rheingaugebirges und dem Rhein dehnen sich schier endlos die Weingärten, und umgeben von Reben liegen die Schlösser zweier um die deutsche Weinkultur verdienter Familien: Auf Schloß Vollrads leben die Grafen von Matuschka-Greiffenclau und auf Johannisberg die Fürsten von Metternich. Eigentlich wollte der preußische König Schloß Johannisberg seinem Marschall Blücher zueignen, aber der österreichische Kaiser hatte schon seinen Minister Metternich damit bedacht. Der Reichskanzler Bismarck dagegen wurde für seine Verdienste nicht mit einem Besitztum am Rhein beschenkt, sondern mit dem Sachsenwald bei Hamburg, aber immerhin trägt ein Turm bei Ingelheim seinen Namen. Drüben, im linksrheinischen Rheinhessen (das gleichwohl zu Rheinland-Pfalz gehört), breiten sich nicht nur Weingärten aus, sondern auch Obstplantagen und Gemüsefelder. Im Herzen dieser weiten Landschaft liegt Ingelheim, einer der Lieblingsorte von Kaiser Karl dem Großen. Von seiner Residenz sind nur Reste erhalten, aber die Weingroßlage dieser Gegend trägt den stolzen Namen Kaiserpfalz.

△ Eltville mit seiner schönen Rheinufer-Promenade

Alte Weinpresse... ▽

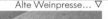

...und Fässer im Kloster Eberbach ▽

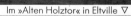

Im »Alten Holztor« in Eltville ▽

Zum Rhein gehört neben Wein auch Sekt: in der Sektkellerei Matheus Müller ▽

Eines der schönsten Uferpanoramen am Rhein bleibt erhalten – die Eltviller Umgehungsstraße wird nicht am Strom entlang, sondern, als kleineres Übel, mitten durch die Weinberge verlaufen. Vorläufig aber braust der Verkehr noch durch die engen Gassen der ältesten Rheingau-Stadt. Die Mainzer Kurfürsten hatten sie als Sommerresidenz und der Mainzer Buchdrucker Gutenberg zum Exil erkoren. Auch in Thomas Manns Schelmenroman ›Die Bekenntnisse des Hochstaplers Felix Krull‹ spielt Eltville eine Rolle. Diese auch allen Filmfreunden bekannte Kunstfigur verbringt die Jugend in der rheingauischen Heimat, und da ist viel von Wein die Rede und auch von Sekt. Der Rheingau und auch Rheinhessen sind die Heimat der deutschen Spitzenmarken, und als Bismarck während des Krieges 1870/71 am Rhein weilte, meinte er, den Deutschen fehle ein Schuß Sekt im Blut. Was den Konsum angeht, so scheinen die Deutschen den Ausspruch des Eisernen Kanzlers zu beherzigen. Sekt gilt nicht mehr als das Getränk gehobener Kreise.
Das Entkorken einer Weinflasche bleibt eine gefühlvolle Zeremonie – vor allem wenn es sich um Spitzenweine handelt, wie sie im Rheingau wachsen und in den Kellern von Eberbach reifen. Seit achthundert Jahren ist das versteckt in einem Waldtal des Rheingaugebirges liegende Kloster ein Hort edler Weine, auch wenn die geistlichen Kellermeister längst von staatlichen abgelöst worden sind (S. 76/77). Hier hat nun auch der Rheingauer Weinkonvent seinen Sitz, hier finden alljährlich im April und November Weinmessen und Weinversteigerungen statt, die wichtigsten in Deutschland. Und in der romanischen Basilika danken Anfang Dezember die Rheingauer Winzer für die Ernte des Jahres.

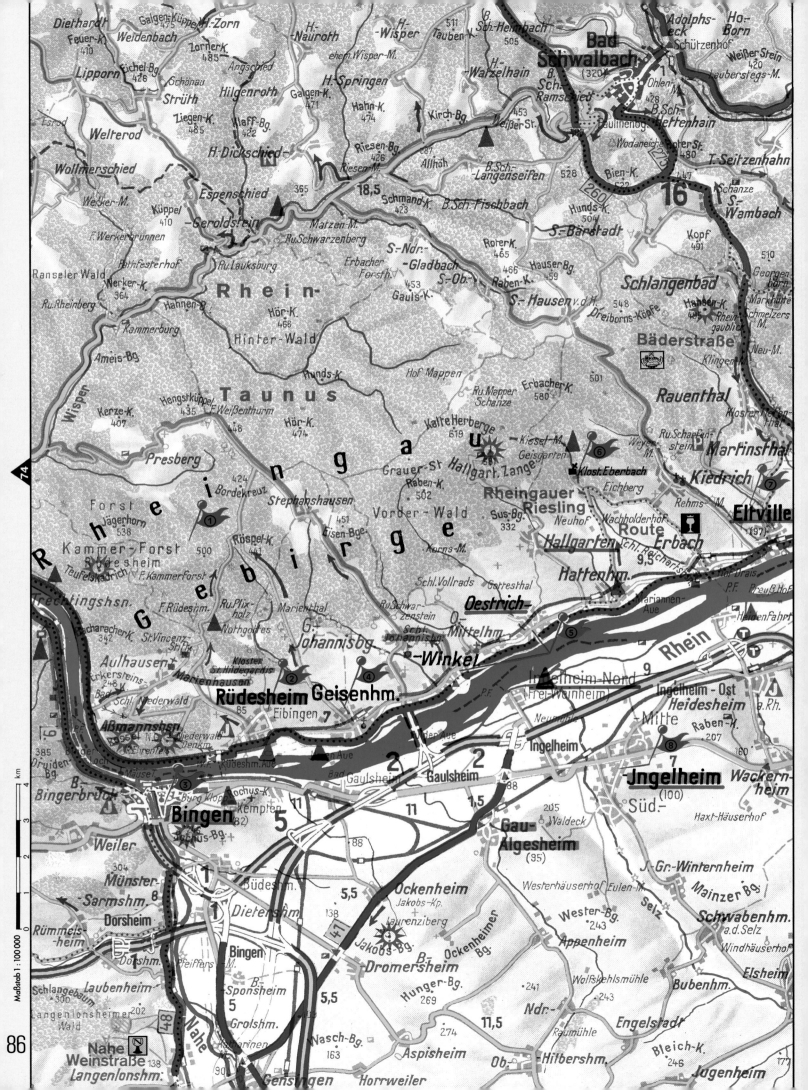

Rheingaugebirge ①

Im Westen, zwischen Rüdesheim und Lorch, reicht der Taunus bis an den Rhein. Und weil an seinem Südabfall der weingesegnete Rheingau liegt, heißt dieser Mittelgebirgsausläufer auch Rheingaugebirge. An seinen Südhängen reifen Spitzenweine, und durch die Rebgärten führt die rund 40 km lange Rheingauer Riesling-Route. Ein Römer auf grünem Grund markiert die Strecke, die in *Walluf* nahe Eltville beginnt und in *Lorchhausen* am Rhein endet. In einigen Orten stehen Weinprobierstände, und auch mancher Winzer lädt zur Weinprobe ein. Für Wanderer wurde der Rheingauer Riesling-Pfad angelegt.
Auskunft: Amt für Fremdenverkehr des Rheingau-Taunus-Kreises, Rheinstraße 5, 6220 Rüdesheim.

Rüdesheim ②

Der wohl bekannteste Weinort der Welt verdankt seine Existenz den Römern und seinen Ruhm der einstmals lauschigen Drosselgasse mit ihren vielbesuchten Weinschenken. Die Brömserburg (um 800) ist die älteste rheinische Wehranlage und beherbergt ein Weinmuseum (schöne Trinkgefäße), während im Brömserhof ›Siegfrieds Mechanisches Musikkabinett‹ zum Besuch einlädt. Sehenswert sind ferner der spätgotische ›Adlerturm‹ und die ›Boosenburg‹. In einer Kabinenseilbahn schwebt man über die Weinberge hinauf zum Niederwald-Denkmal, das an die deutsche Einigung von 1871 erinnert. Vom nahen Jagdschloß *Niederwald* (heute Hotel mit prächtiger Aussicht ins Rheintal) führt eine Sesselbahn nach Aßmannshausen.
Im August finden die Festtage des Rüdesheimer Weines statt, und im Juli erstrahlt ›Der Rhein im Feuerzauber‹. Ein typisches Restaurant in der Drosselgasse ist das »Weinhaus Drosselhof«.
Auskunft: Verkehrsamt 6220 Rüdesheim.

Bingen ③

Die Nahemündung beherrschte in römischer Zeit ein Kastell, auf dessen Fundamenten im 15. Jh. Burg *Klopp* errichtet wurde. Nach mehrfacher Zerstörung wiederaufgebaut, ist sie seit 1896 das Rathaus der Stadt. Das Heimatmuseum im Burgturm zeigt u. a. die Instrumente eines römischen Arztes; vom Burgrestaurant herrlicher Blick auf den Rhein mit dem Mäuseturm (= Mautturm). Der im 14. Jh. als Zoll-turm auf einer Insel errichtete Bau diente später als Signalturm für die Schiffahrt auf diesem Rheinabschnitt, dem einst so gefährlichen Binger Loch. Die 1666 errichtete Wallfahrtskirche wurde 1795 zerstört, 1814 aufgebaut und 1889 durch Blitzschlag eingeäschert; der heutige Bau wurde 1895 geweiht. Stromaufwärts liegt der Rochusberg mit einer Wallfahrtskirche, für deren Kapelle Goethe ein Bild gestiftet hat. Das Rochusfest wird am Sonntag nach dem 16. August gefeiert. Im Stadtteil *Bingerbrück* erinnert ein Brunnen an die heilige Hildegard von Bingen (1098–1179), eine der bedeutendsten Frauen des Mittelalters.
Auskunft: Verkehrsamt 6530 Bingen.

Geisenheim ④

Die Wein- und Gartenstadt (mit einer Forschungsanstalt für Wein-, Obst- und Gartenbau) besitzt ein Juwel aus der Gotik: den ›Rheingauer Dom‹ (15. Jh.). Schöne Fachwerkhäuser gibt es in der Altstadt; sehenswert sind außerdem die Schlösser Schönborn, Monrepos und Ingelheim.
Im Stadtteil *Marienthal* liegt eine bekannte Wallfahrtsstätte und hoch über den Weinbergen Schloß *Johannisberg* (erbaut 1757 neben der Kirche der ehemaligen Bendikterabtei aus dem 12. Jh.). Im Ort wird am letzten Wochenende im Juni, wenn Rosen und Reben blühen, das Kirchweihfest gefeiert, während Geisenheim im Juli unter der sechshundertjährigen Linde das Lindenfest begeht.
Auskunft: Verkehrsamt 6222 Geisenheim.

Oestrich-Winkel ⑤

Durch den Zusammenschluß mehrerer Gemeinden wurde Oestrich-Winkel der größte Weinort des Rheingaus. Wahrzeichen ist der Rheinkran von 1652, aber sehenswert sind auch St. Martins-Kirche und Rathaus (beide Anfang 16. Jh.) und vor allem Schloß *Reichartshausen*, ehemals Gut der Abtei Eberbach. Ein Haus mit großer Tradition ist das »Hotel Schwan«. Der Ortsteil Winkel besitzt mit dem Grauen Haus (um 800) das älteste deutsche Wohnhaus aus Stein.
Hoch oben in den Weinbergen liegt das barocke Schloß *Vollrads,* in dem u. a. exklusive Weinproben stattfinden. Im Ortsteil *Mittelrhein* steht die älteste erhaltene romanische Kirche des Rheingaus, die Basilika St. Aegidius (12. Jh.). Hier wird auch am letzten April-Sonntag die Rheingau-Kirchweih gefeiert.

In Oestrich findet nach Himmelfahrt Dippemarkt und am letzten Juli-Sonntag das weinselige Lenchenfest statt.
Auskunft: Verkehrsamt 6227 Oestrich-Winkel.

Kloster Eberbach ⑥

In einem Waldtal verborgen liegt das 1116 als Augustiner-Chorherrenstift gegründete und 1135 in eine Zisterzienser-Abtei umgewandelte Kloster Eberbach (bis 1803). In den Kellern lagert die Staatliche Domänenbauverwaltung ihre Spitzenweine. Mittelpunkt der weitläufigen Klosteranlage aus dem 12. Jh. ist die romanische Kirche, aber sehenswert sind auch Kreuzgang, Kapitelsaal und das zweischiffige Dormitorium mit perspektivisch interessanten Säulen und Gewölben.
Auskunft: siehe Eltville.

Eltville ⑦

Engagierte Bürger haben es in jahrelangen Kämpfen durchgesetzt, daß eine der schönsten Rheinpromenaden nicht zerstört wurde. Die ›alta villa‹ der Römer war eineinhalb Jahrhunderte lang Residenz der Mainer Kurfürsten und blieb in deren Besitz bis 1803. In ihrer Burg aus dem 14. Jh. erinnert eine Gedächtnisstätte an Johannes Gutenberg, der nach seiner Vertreibung aus Mainz in Eltville Zuflucht fand. Sehenswert sind ferner die gotische Pfarrkirche (14. Jh., gute Ausstattung), anmutige Fachwerkhäuser und Adelshöfe. Am ersten Sonntag im Juli findet das Sektfest statt, und am dritten Oktober-Sonntag ist Kappeskerb (Kirchweih). Im Ortsteil *Erbach* liegt das exklusive »Schloßhotel Rheinhartshausen«, ein Bau aus dem 18. Jh., rustikaler geht's im »Alten Holztor« zu. Nicht versäumen sollte man einen Ausflug ins gotische Weindorf *Kiedrich,* in dessen Pfarrkirche St. Valentin eine der ältesten spielbaren Orgeln Deutschlands steht (1500).
Auskunft: Verkehrsamt 6228 Eltville.

Ingelheim ⑧

Das Städtchen Ingelheim hat eine zweitausendjährige Rotwein-Tradition. Karl der Große ließ hier im 9. Jh. eine Kaiserpfalz bauen, von der noch Reste zu sehen sind. Ebenfalls sehenswert die ev. Pfarrkirche in Ober-Ingelheim (15. Jh.), die Friedhofs- und Ortsbefestigung. – Ende Juli feiern die Ingelheimer ihr Hafenfest, und Ende September beginnt das Rotweinfest.
Auskunft: Verkehrsamt 6507 Ingelheim.

Die Schwesters

Beim Mainzer Rosenmontagszug

△ Wiesbaden: Altes Rathaus; im Stadtschloß (rechts) sitzt der Landtag

Springbrunnen im Kurpark ▽

Δ Das 1907 erbaute Kurhaus

Zum Einkaufen und Flanieren: die Wilhelmstraße ▽

Auf dem Neroberg steht die Griechische Kapelle mit den goldenen Zwiebeltürmen ▽

Von der Kur- zur Landeshauptstadt: Wiesbaden

In Wiesbaden stiegen im 19. Jahrhundert Europas gekrönte Häupter ab, und auch ein musikalisches Genie: Richard Wagner. Ihn zog es freilich nicht in die elegante Kurstadt, sondern an den Rhein, nach Biebrich, wo er seine ›Meistersinger‹ komponieren wollte. Und hier empfing er auch Anregungen für seinen monumentalen ›Ring‹: Während einer Bootsfahrt von Mainz nach Biebrich warf er plötzlich einige Goldmünzen ins Wasser und rief dazu: ›Rheingold, Rheingold!‹ Die Biebricher hatten für solche Extravaganzen nichts übrig. Auch nicht für die Geldverschwendung ihrer Fürsten, gegen die sie sich mit ihrem Spruch wehrten: ›In Biewerich, in Biewerich, do is nix iwerich.‹ Doch ohne die Fürsten von Nassau-Idstein gäbe es weder das imposante Biebricher Schloß noch Wiesbaden selber. Gewiß, die Stadt existierte schon im Mittelalter, aber erst zu Beginn des vergangenen Jahrhunderts begann mit dem Bau des ersten Kurhauses und der Anlage der Wilhelmstraße der Aufstieg zum Weltbad. Die große Zeit erlebten die Fürsten nur noch als Zaungäste mit, denn 1866 verloren sie ihr Reich an Preußen, und Wiesbaden war nur noch Provinzialhauptstadt von Hessen-Nassau. Kaiser Wilhelm II. beehrte Wiesbaden nicht nur des öfteren mit seiner Anwesenheit, er ließ auch eine Reihe von Bauwerken errichten, die heute aus dem Stadtbild nicht mehr wegzudenken sind. Allen voran das repräsentative Kurhaus, das sieben Jahre vor Ausbruch des Ersten Weltkrieges vollendet wurde.

Nach 1945 gewann Wiesbaden neue Bedeutung als Hauptstadt des Bundeslandes Hessen. Ins ehemalige Stadtschloß zogen nun die Volksvertreter ein. Wichtige Entscheidungen werden auch im benachbarten Alten Rathaus getroffen – dem Standesamt.

△ Mainz: viele Neubauten, aber beherrschend bleibt der Dom ▽

Blick vom Höfchen zum Dom ▽

92

Der Marktbrunnen
ist einer der schönsten
Renaissancebrunnen Deutschlands

Mainz – Landeshauptstadt mit dem ›Domgebirge‹

Keine andere deutsche Stadt hat so vom Fernsehen profitiert wie Mainz: Dank ZDF und ARD wissen alle im deutschen Sprachraum – und darüber hinaus –, daß Mainz Mainz bleibt, vor allem wenn es singt und lacht zur Fastnachtszeit (S. 88/89). Und daß das neue Medium in Gestalt des Zweiten Deutschen Fernsehens hier seinen Sitz hat, ist von historischer Folgerichtigkeit. Schließlich wurde hier das klassische Medium der Buchdruckkunst erfunden. Damals, um 1440, war Mainz schon das ›goldene Haupt, das Diadem des Reiches‹, und seine geistlichen Kurfürsten waren Erzkanzler des Heiligen Römischen Reiches Deutscher Nation.

Heute ist Mainz Hauptstadt des Bundeslandes Rheinland-Pfalz. Die Hauptstadtwürde ist erst drei Jahrzehnte alt und damit nur eine Episode in der zweitausendjährigen Stadtgeschichte. Lediglich halb so alt ist der Dom, den ein Schriftsteller wegen seines massigen Baus und seiner sechs Türme ein ›Domgebirge‹ genannt hat. Viele andere Mainzer Repräsentationsbauten sind ebenso wie der Dom aus rotem Sandstein erbaut.

Dagegen ist in der Altstadt noch manch schöner Fachwerkwinkel zu entdecken. Hier findet man auch die heimeligen Lokale, in denen der lokalen kulinarischen Tradition gehuldigt wird: ›Handkäs' mit Musik‹ (würziger, anderswo ›Harzer‹ genannter, Käse mit Essig, Öl und kleingehackter Zwiebel), ›Spunden-Käs‹ (ein herzhafter Streichkäse) oder ›Weck, Worscht und Woi‹ (knusprige Semmel, Fleischwurst und Wein). Natürlich wird hier Wein getrunken, der als ›Halber‹ – obwohl's nur ein Viertelliter ist – im Stangenglas aufgetischt wird. Und schließlich gibt es als frühsommerliche Saison-Delikatesse aus dem nahen Rheinhessen Spargel mit Schinken.

Im ›Haus zum römischen Kaiser‹: Gutenberg-Museum △
Um 1450 druckte Gutenberg die heute berühmte Bibel ▽

Vor Gutenbergs Erfindung entstand dieser Wiegendruck aus dem 15. Jahrhundert ▽
Monotype-Setzmaschine von 1897 ▽

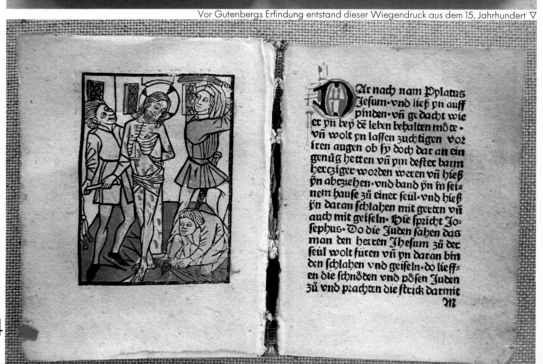

94

△ So etwa sah es in einer Zeitungsdruckerei um 1820 aus

Ebenfalls im Gutenberg-Museum: Schnellpresse von 1846 ▽

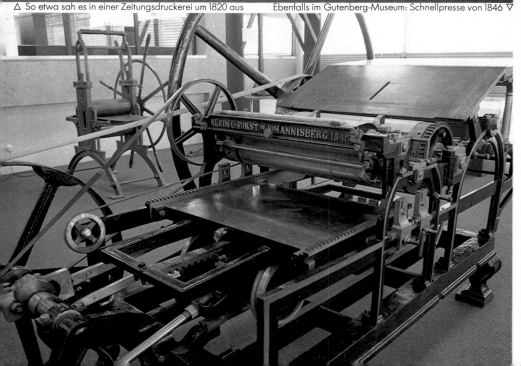

In Mainz erfand Gutenberg die Kunst des Buchdrucks

Eigentlich hieß er ja Johannes Gensfleisch zur Landen, genannt zum Gutenberg. Aber als Johannes Gutenberg ist der Erfinder der modernen Druckkunst in die Geschichte eingegangen: Er verwendete als erster bewegliche Lettern aus Metall. Das war um 1440, und wie ein Lauffeuer verbreitete sich diese neue Methode durch Europa. Dennoch war es ein langer Weg von Gutenbergs Handsetzkasten und Handpresse bis zur elektronischen Satzherstellung und den riesigen Rotationsdruckmaschinen der Gegenwart. Die wichtigsten Stationen dieser Entwicklung kann man im Mainzer Gutenberg-Museum, im Weltmuseum der Druckkunst, nachvollziehen. Der größte Schatz des Museums liegt im Tresorraum: die 42zeilige Gutenberg-Bibel, gedruckt zu Mainz in den Jahren 1452–55. Sie ist eines von ursprünglich rund 200 Exemplaren, und unter den 47 noch erhaltenen eines der schönsten, weil es auf Pergament gedruckt ist und noch den ersten Einband hat. Wie der Meister gearbeitet hat, wird in einer rekonstruierten Gutenberg-Werkstatt demonstriert, und an jedem Vormittag wird anhand eines Puppenfilms diese Zeit noch einmal lebendig. Dieses Weltmuseum der Druckkunst ist alles andere als verstaubt. Vielmehr macht es großen Spaß, in eine Klosterschreibstube zu blicken oder in eine alte Zeitungsdruckerei, auf den Arbeitstisch eines Stempelschneiders oder eines Buchbinders. Und natürlich faszinieren außer den kostbaren Büchern aus fünf Jahrhunderten auch die ersten Setz- und Druckmaschinen aus dem 19. Jahrhundert, die die Drucktechnik um einen Riesenschritt voranbrachten. Gutenberg selber hat von seiner Erfindung nicht profitiert, im Gegenteil: Er starb 1468, als Siebzigjähriger, völlig verarmt in seiner Vaterstadt.

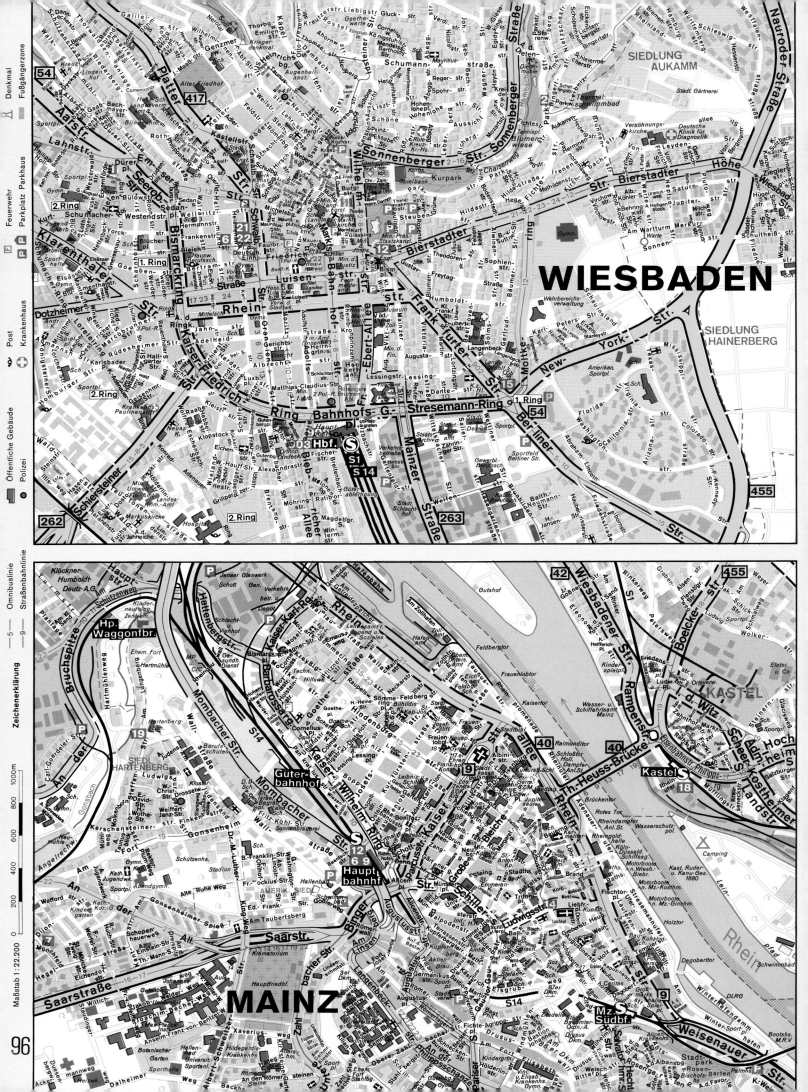

WIESBADEN

MAINZ

Wo gibt es was?

Wiesbaden

Im Norden schmiegt sich Wiesbaden an den Taunus, aber mit den Stadtteilen Biebrich und Schierstein grenzt es an den Rhein. Und von ihrer Biebricher Residenz aus bewirkten die Fürsten von Nassau-Idstein den Aufstieg des bereits im Mittelalter genannten Quellenortes Wiesbaden zum eleganten Weltbad des 19. Jhs. Heute ist die Kurstadt Wiesbaden (270 000 Einwohner) Hauptstadt des Bundeslandes Hessen.

Schlösser

Am Rheinufer liegt ein bedeutender Barockbau: das Residenzschloß Biebrich, 1698–1744 errichtet; im weitläufigen Schloßpark die Mosburg, eine künstlich gotische Ruine von 1806. Das klassizistische ehemalige Stadtschloß (1837–41, Marktstraße) ist Sitz des Hessischen Landtags (Gruppen-Führungen nach Vereinbarung); auch das Prinzenpalais (1817, am Warmen Damm) ist klassizistisch.

Kirchen

Die Hauptkirche der Protestanten ist die Marktkirche (19. Jh., Am Marktplatz), die der Katholiken St. Bonifatius (19. Jh., Luisenstraße). Auffallend ist die Griechische Kapelle mit den goldenen Kuppeln.

Museum

Gegenüber der Rhein-Main-Halle (Friedrich-Ebert-Allee) liegt das Museum mit Gemäldegalerie, Naturwissenschaftlicher Sammlung und Sammlung Nassauischer Altertümer.

Sehenswürdigkeiten

Das älteste Gebäude Wiesbadens ist das Alte Rathaus von 1609 (heute Standesamt). Eindrucksvoll ist das Kurhaus von 1907, ein schönes Gebäude mit Wandelhalle und Muschelsaal im Jugendstil, Kursaal (nach dem Kriege modern wiederhergestellt); dahinter der Kurpark mit Fontäne, See und Musikpavillon und der Brunnenkolonnade von 1825. Die Theaterkolonnade (1840) ist eine elegante Ladenstraße. Im Quellenviertel liegt der Kochbrunnen (täglich 500 000 Liter, 67 Grad Celsius heißes Wasser aus 2000 Meter Tiefe), die berühmteste der 26 Wiesbadener Thermen. Auf den Neroberg (Aussichtsterrasse, Gaststätte) führt seit 1888 eine wasserbetriebene Standseilbahn.

Theater- und Konzertsäle

Das Hessische Staatstheater mit Oper, Operette, Ballett und Schauspiel spielt im ehemaligen Preußischen Hoftheater (1894 eröffnet). Alljährlich finden die Internationalen Maifestspiele statt. Sinfonische und Kammermusik erklingt im Saal des Kurhauses, und dreimal täglich gibt es Kurkonzerte.

Essengehen und Unterhaltung

Elegant sind die Spielbank im Kurhaus oder das Luxushotel »Schwarzer Bock«; sehr gut essen kann man auch im »Hotel de France« und in der »Alten Münze«; stimmungsvoll ist das »Bobbeschänkelche«. Tanzturniere und Maskenbälle, Sommernachtsfeste mit Illumination und Feuerwerk sind unterhaltsame Ereignisse.
Auskunft: Kurbetriebe Brunnenkolonnade, 6200 Wiesbaden.

Mainz

38 v. Chr. gegründet, war die Siedlung Metropole der römischen Provinz Germania superior, Obergermanien. Im Mittelalter war ›Das Goldene Mainz‹ eine mächtige Stadt, und ihre Kurfürsten und Erzbischöfe fungierten als Erzkanzler des Heiligen Römischen Reiches deutscher Nation. Und hier erfand Johannes Gutenberg (1397–1468) die Buchdruckkunst mit Hilfe von beweglichen Lettern. Seit 1950 ist Mainz (rund 200 000 Einwohner) Landeshauptstadt von Rheinland-Pfalz.

Kirchen

Der Dom St. Martin und St. Stephan gehört zu den drei großen Kaiserdomen am Rhein (die beiden anderen in Worms und Speyer). Er erlitt bei Bränden 1081, 1767, 1793 und im Zweiten Weltkrieg schwere Schäden. Die romanische Pfeilerbasilika mit gotischem Rippengewölbe hat hervorragende Grabdenkmäler der Erzbischöfe vom 13.–19. Jh. und großartiges Chorgestühl (1767). Als Anbauten Nikolauskapelle, St. Gotthard-Kapelle (Kruzifix 12. Jh.) und gotischen Kreuzgang. Weitere bedeutende Sakralbauten sind St. Stephan (14. Jh., sehenswerter Kreuzgang), Johanniskirche (alter Dom, 11. Jh., spätere Neu- und Ausbauten), St. Ignaz und Augustinerkirche (beide 18. Jh.) sowie St. Peter, die schönste Mainzer Barockkirche. St. Quintin ist die älteste Kirche der Stadt (744 genannt, jetziger Bau 13. Jh.) und birgt ein schönes Altarbild (1758).

Schlösser und Palais

Das Kurfürstliche Schloß am Rhein ist einer der edelsten deutschen Renaissance-Bauten (17. Jh., vollendet im 18. Jh.). Unter den vielen Palais und Adelshöfen sind fünf aus dem 18. Jh. besonders sehenswert: Deutschhaus (heute Landtag), Bassenheimer Hof, Erthaler Hof, Jüngerer Dalberger Hof und Osteiner Hof, das schönste Mainzer Rokokopalais. Sehenswert auch das ehem. Heiliggeistspital (13. Jh.).

Museen

Die meisten Besucher lockt das Gutenberg-Museum an (im ›Haus zum römischen Kaiser‹ aus dem 17. Jh.). Weitere Museen: Römisch-Germanisches-Zentralmuseum (Kurfürstliches Schloß) mit römischen Funden; Mittelrheinisches Landesmuseum (im ehem. Kurfürstlichen Marstall) mit Gemälden und Altertumssammlung; Dom-Museum mit Domschatz (im Kreuzgang).

Theater- und Konzertsäle

Stadttheater am Gutenbergplatz mit sämtlichen Spielgattungen, Theater im Gutenberg-Museum (moderne Schauspiele) und Mainzer-Forum-Theater im Unterhaus (Walpodenstraße 6) – eine der führenden deutschen Kleinkunstbühnen. Konzerte gibt es im Kurfürstlichen Schloß und in der Rheingoldhalle.

Sehenswürdigkeiten

Das schönste römische Denkmal ist die Jupitersäule bei der Peterskirche; aus dem Mittelalter stammen Eiserner Turm, Alexanderturm und Holzturm, in dem der Schinderhannes gefangen saß. Ein Kleinod aus der Renaissance ist der Marktbrunnen (1526).

Essengehen und Feiern

300 Sorten kann man im »Haus des Deutschen Weines« probieren; gut speisen und trinken läßt's sich auch in »Gebert's Weinstuben«, freundliche Atmosphäre bieten die »Weinstube Lösch« und das »Weinhaus Hottum«. Historisch sind die »Rats- und Zunftstuben Heilig Geist«. Renommierte Kochkunst präsentieren »Mainzer Hof« und »Walderdorff«.
Die Mainzer feiern nicht nur Fasnacht, sondern auch Johannisnacht als Volksfest in der Innenstadt (Mitte Juni). Hoch her geht es auch beim Weinmarkt (Ende August/Anfang September).
Auskunft: Verkehrsverein Mainz, Bahnhofsplatz 2, 6500 Mainz 1.

Bereits erschienen

In Vorbereitung

Impressum

Der HB-Bildatlas wird herausgegeben von der HB Verlags- und Vertriebsges. mbH, Alsterufer 4, 2000 Hamburg 36
© 1979 für den gesamten Inhalt, soweit nicht anders angegeben, by HB Verlags- und Vertriebsges. mbH, Hamburg.
Nachdruck, auch auszugsweise, nur mit vorheriger Genehmigung. Alle Angaben im Reiseteil ohne Gewähr.

Verantwortlich für den Inhalt:
Dr. Jens Litten, Hamburg
Text:
Ferdinand Landstraß, Hamburg
Bildrecherche:
Paul-Adolf Drees, Breitenheim
Exclusiv-Fotografie:
Rainer Kiedrowski und Lieselotte Bergmann, Düsseldorf
Redaktion:
Ulrike Klugmann, Hamburg
Layout:
Rolf Bünermann, Gütersloh
Produktionsleitung:
Udo Scheller, Hamburg

Vertrieb:
Pegasus Buch- und Zeitschriften-Vertriebsgesellschaft mbH, Augustenstr. 1, 7000 Stuttgart 1, Telefon (0711) 6 60 26 85, Telex 7 23 539

Satz:
Alfred Utesch GmbH, Hamburg
Reproduktionen:
Otterbach Repro KG, Rastatt
Druck:
J. Fink, Ostfildern 4 (Kemnat)
Printed in Gemany

Titel:
Die Pfalz bei Kaub

Rücktitel:
Auf den Kölner Domterrassen